Texas

GoMath!

¡Vivan las matemáticas! - Volumen 2

Texas
GoMath!
¡Vivan las matemáticas!

Houghton
Mifflin
Harcourt

ISBN 978-0-544-08575-6

9 10 11 12   0928   22 21 20 19 18

4500703424   B C D E F G

Cover Image Credits: (boots) ©pidjoe/Getty Images; (cow) ©Dmitry Bruskov/Shutterstock; (cactus) ©Radius Images/Getty Images; (boat) ©Richard Cummins/Getty Images.

Estimados estudiantes y familiares:

Bienvenidos a *Texas Go Math! ¡Vivan las matemáticas!* para 2.° grado. En este interesante programa, encontrarán actividades prácticas y problemas de la vida diaria que tendrán que resolver. Y lo mejor de todo es que podrán escribir sus ideas y sus respuestas directamente en el libro. El hecho de que puedan escribir y dibujar en las páginas les ayudará a percibir más detalladamente lo que están aprendiendo y ¡verán qué bien entienden las matemáticas!

A propósito, todas las páginas de este libro están hechas con papel reciclado. Queremos que sepan que al participar en el programa *Texas Go Math! ¡Vivan las matemáticas!* estarán ayudando a proteger el medio ambiente.

Atentamente,

Los autores

Hecho en los Estados Unidos
100% impreso en papel reciclado

Texas Go Math!

¡Vivan las matemáticas!

Autores

Juli K. Dixon, Ph.D.
Professor, Mathematics
 Education
University of Central Florida
Orlando, Florida

Edward B. Burger, Ph.D.
President
Southwestern University
Georgetown, Texas

Matthew R. Larson, Ph.D.
K-12 Curriculum Specialist for
 Mathematics
Lincoln Public Schools
Lincoln, Nebraska

Martha E. Sandoval-Martinez
Math Instructor
El Camino College
Torrance, California

Autora de consulta

Valerie Johse
Math Consultant
Texas Council for Economic
 Education
Houston, Texas

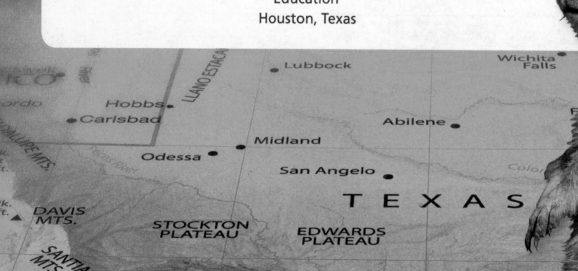

Volumen 1

Unidad 1 • Números y operaciones: Valor de posición, conceptos de fracciones y suma

Módulo 1 · Valor de posición

Módulo 2 · Tamaño de los números

Busca estas secciones:

En el mundo

H.O.T. Alta capacidad
de razonamiento Problemas
de Múltiples pasos

APRENDE EN LÍNEA **Recursos**

DIGITAL RESOURCES
Busca en línea el Libro
interactivo del estudiante y
los videos de Matemáticas al
instante. Usa iTools en español,
el Glosario multimedia y otros
recursos.

© Houghton Mifflin Harcourt Publishing Company

Módulo 7 · Más suma de 2 dígitos

Volumen 1

Unidad 2 · Números y operaciones: Cálculos, dinero y grupos iguales

Módulo 8 · Resta de 2 dígitos

Módulo 9 · Más resta de 2 dígitos

Busca estas secciones:

En el mundo

H.O.T. Alta capacidad de razonamiento Problemas de Múltiples pasos

Tarea y práctica

Tarea y práctica de TEKS en cada lección

Busca estas secciones:

En el mundo

H.O.T. Alta capacidad de razonamiento Problemas de Múltiples pasos

APRENDE EN LÍNEA **Recursos**

RECURSOS EN LÍNEA
Busca en línea el Libro interactivo del estudiante y los videos de Matemáticas al instante. Usa *i*Tools en español, el Glosario multimedia y otros recursos.

Volumen 2

Unidad 3 • Razonamiento algebraico

Módulo 13 Patrones y estrategias

Volumen 2

Unidad 4 • Geometría y medición

Módulo 14 Figuras de dos dimensiones

Módulo 15 — Figuras de tres dimensiones

Módulo 16 — Longitud

Módulo 17 — Más medición

Módulo 18 — Tiempo

Volumen 2

Unidad 5 • Análisis de datos

Módulo 19 Datos

Busca estas secciones:

H.O.T. Alta capacidad de razonamiento Problemas de Múltiples pasos

Tarea y práctica

Tarea y práctica de TEKS en cada lección

Busca estas secciones:

H.O.T. Alta capacidad de razonamiento Problemas de Múltiples pasos

Volumen 2

Unidad 6 • Comprensión de finanzas personales

Módulo 20) Conceptos de finanzas

TEKS

APRENDE EN LÍNEA **Recursos**

RECURSOS EN LÍNEA
Busca en línea el Libro interactivo del estudiante y los videos de Matemáticas al instante. Usa *i*Tools en español, el Glosario multimedia y otros recursos.

Razonamiento algebraico

Muestra lo que sabes

Comprueba si comprendes las destrezas importantes.

Nombre _____

Restar decenas

Escribe la diferencia.

1.

5 decenas − 3 decenas

= ____ decenas

50 − 30 = ____

2.

7 decenas − 2 decenas

= ____ decenas

70 − 20 = ____

Practicar la suma de 2 dígitos

Escribe la suma.

3. 54
   + 25
   ‾‾‾‾

4. 35
   + 18
   ‾‾‾‾

5. 31
   + 67
   ‾‾‾‾

6. 21
   + 69
   ‾‾‾‾

Contar de diez en diez

7. Cuenta de diez en diez. Escribe cuántas hay en total.

_____   ____ acuarelas en total

 NOTA PARA LA FAMILIA: El propósito de esta página es comprobar si su niño comprende las destrezas importantes que se necesitan para tener éxito en la Unidad 3.

 Opciones de evaluación: Soar to Success Math

Desarrollo del vocabulario

Palabras de repaso

menos

más

dígitos

centenas

decenas

Visualizar

Completa los recuadros del organizador gráfico.
Escribe oraciones usando **menos** y **más.**

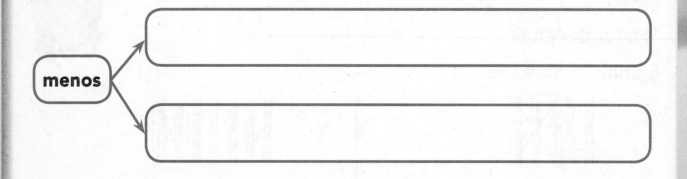

menos

más

Comprender el vocabulario

Completa las oraciones con las palabras de repaso.

1. El 3 y el 9 son _____ del número 39.

2. En el número 87, el 8 está en el lugar de las _____.

3. En el número 416, el 4 está en el lugar de las _____.

• **Libro interactivo del estudiante**
• **Glosario multimedia**

APRENDE EN
LÍNEA

¡Tú puedes ganar!

escrito por Tim Johnson

ilustrado por Lance Lekander

Este librito para la casa pertenece a:

_____

¡Niños!
¿Les gustan las matemáticas?
Si es así, podrían ganarse una semana en la

CIUDAD ESPACIAL

¡un nuevo campament...
para niños!

TOMA UNO

Lectura y redacción de matemáticas

Este librito para la casa te servirá para repasar la suma y la resta de números de dos dígitos.

PROCESOS MATEMÁTICOS 2.1.A, 2.1.D, 2.1.E

Resuelve estos problemas de matemáticas. Muestra de qué manera hallaste cada respuesta. Si das las respuestas correctas, podrás ganar. ¡Suerte!

El año pasado, 94 niños y 97 niñas fueron al campamento Ciudad espacial. ¿Cuántos estudiantes fueron en total?

_____ + _____ = _____ estudiantes

CIUDAD ESPACIAL

CENTRO DE CONSTRUCCIÓN DE COHETES

Resuelve tan solo cuatro problemas más y podrías estar aquí. ¡Imagínatelo!

434

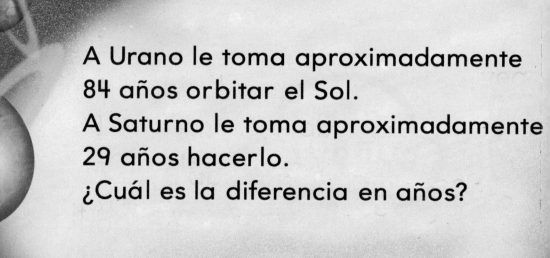

A Urano le toma aproximadamente 84 años orbitar el Sol.
A Saturno le toma aproximadamente 29 años hacerlo.
¿Cuál es la diferencia en años?

_____ − _____ = _____ años

En una hora, 47 meteoritos pequeños se estrellaron contra la superficie de la Luna. Durante la hora siguiente, se estrellaron 65 meteoritos. ¿Cuántos meteoritos se estrellaron contra la superficie de la Luna durante esas dos horas?

_____ + _____ = _____ meteoritos

En la Luna, un día dura aproximadamente lo mismo que 28 días en la Tierra. ¿Cuántos días de la Tierra tienen la misma duración que 2 días en la Luna?

_____ + _____ = _____ días de la Tierra

Ahora Lucy tiene 8 años. Será astronauta cuando tenga 35 años. ¿Cuántos años pasarán hasta que sea astronauta?

_____ − _____ = _____ años

¿Qué piensas que sucederá?
Escribe algunas oraciones para
contar el final de esta historia.

_____

_____

Nombre _____

Escribe Mira la ilustración de los meteoritos que se estrellan contra la Luna. Escribe un problema sobre el número de meteoritos que se estrellan contra la Luna en dos días diferentes. Usa números de 2 dígitos en tu problema.

Repaso del vocabulario

sumar

restar

suma

diferencia

_____

_____

_____

_____

_____

¿Sumarás o restarás?

Usa la información para contestar las preguntas.

El juego Aventura espacial abrió a las 9:00 de la mañana. Durante la primera hora, se subieron 58 niños. En la hora siguiente, se subieron 21 niños.

1. ¿Cuántos niños se subieron en total?

    _____ niños

2. ¿Cuántos niños más que durante la segunda hora se subieron al juego durante la primera hora?

    _____ niños más

3. Durante la tercera hora, 37 niños se subieron al juego Aventura espacial. ¿Cuántos niños se subieron al juego durante las tres primeras horas en que estuvo abierto?

    _____ niños

Escribe un problema sobre el juego que se resuelva con una suma o con una resta de 2 dígitos. Pide a un compañero que lo resuelva. Comenten las estrategias que pueden usarse para resolver el problema.

TEKS **Razonamiento algebraico: 2.7.A**

PROCESOS MATEMÁTICOS
2.1.E, 2.1.F

13.1
MANOS A
LA OBRA

Números pares e impares

 Pregunta esencial

¿En qué se diferencian los números pares de los números impares?

Explora En el mundo

Muestra cada número con ▇.

<table>
<tr><td></td><td></td><td></td><td></td><td></td></tr>
<tr><td></td><td></td><td></td><td></td><td></td></tr>
</table>

<table>
<tr><td></td><td></td><td></td><td></td><td></td></tr>
<tr><td></td><td></td><td></td><td></td><td></td></tr>
</table>

Charla matemática

Procesos matemáticos

¿En qué se diferencian los modelos cuando formas pares con los números 7 y 10? **Explica** tu respuesta.

PARA EL MAESTRO • Lea el siguiente problema: Berta tiene 8 carros de juguete. ¿Puede organizar sus carros en pares sobre un estante? Pida a los niños que formen pilas de pares de cubos en los cuadros de diez. Continúe la actividad con los números 7 y 10.

© Houghton Mifflin Harcourt Publishing Company

Módulo 13

Representa y dibuja

Cuenta los cubos. Forma pares.
Un número **par** muestra pares sin que sobre ningún cubo.
Un número **impar** muestra pares y sobra un cubo.

5 _impar_

8 ____

12 ____

15 ____

Comparte y muestra

Usa cubos. Cuenta el número de cubos.
Forma pares. Luego, escribe **par** o **impar**.

1. 10 ____

2. 13 ____

3. 18 ____

4. 19 ____

5. 14 ____

6. 22 ____

7. 23 ____

8. 29 ____

✓9. 21 ____

✓10. 26 ____

Nombre _____

Resolución de problemas

Sombrea los cuadros de diez para mostrar el número.
Encierra en un círculo **par** o **impar**.

11. **25**

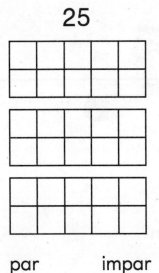

par   impar

12. **30**

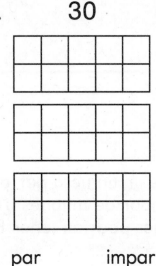

par   impar

13. **28**

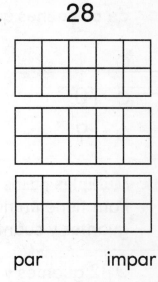

par   impar

Resuelve.

14. **H.O.T.** **Múltiples pasos** Elige
un número par que esté entre
el 25 y el 34. Haz un dibujo y
luego explica por qué es
un número par.

_____

_____

_____

15. **H.O.T.** Haz una lista de números de 2 dígitos
que tengan un 3 en el lugar de las unidades.
Encierra en un círculo los números impares.

_____

Módulo 13 • Lección 1   cuatrocientos cuarenta y tres **443**

Elige la respuesta correcta.

16. **Conecta** Dixon tiene un número par de calcetines. ¿Cuál podría ser el número de calcetines que tiene?

   ○ 11
   ○ 10
   ○ 19

17. **Múltiples pasos** Bill tiene un número par de guantes. Pam tiene un número impar de mitones. ¿Cuántos guantes y cuántos mitones podrían tener Bill y Pam?

   ○ 12 guantes y 9 mitones
   ○ 14 guantes y 12 mitones
   ○ 13 guantes y 8 mitones

18. Usa cubos. Cuenta 17 cubos. Forma pares. Luego, escribe **par** o **impar.** Haz un dibujo para mostrar lo que hiciste.

   17 _____

19. ⭐ **Preparación para la prueba de TEXAS** Hay un número par de niñas y un número impar de niños en la clase de Gina. ¿Cuál de estas opciones podría describir la clase de Gina?

   ○ 9 niñas y 8 niños
   ○ 10 niñas y 7 niños
   ○ 11 niñas y 9 niños

ACTIVIDAD PARA LA CASA • Pida a su niño que use objetos pequeños para mostrarle un número, por ejemplo, el 9, y que explique por qué el número es par o impar.

Tarea y práctica

Nombre _____

13.1
MANOS A LA OBRA

Números pares e impares

Sombrea los cuadros de diez para mostrar el número.
Encierra en un círculo **par** o **impar.**

1. 27

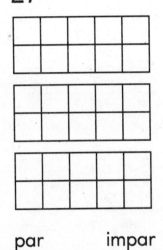

par   impar

2. 20

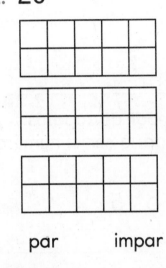

par   impar

3. 24

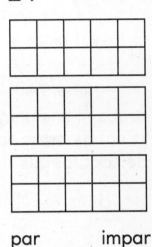

par   impar

Resolución de problemas

4. Haz una lista de números de 2 dígitos que tengan un 6 en el lugar de las unidades. Encierra en un círculo los números pares.

_____

5. **Múltiples pasos** Elige un número par del 24 al 35. Haz un dibujo y explica por qué es un número par.

_____

Repaso de la lección

Elige la respuesta correcta.

6. Hay un número par de niños y un número impar de niñas en la clase de Lena. ¿Cuál podría describir la clase de Lena?

○ Hay 9 niños y 12 niñas.

○ Hay 10 niños y 9 niñas.

○ Hay 11 niños y 13 niñas.

---

7. Ámbar tiene un número impar de zapatos. ¿Cuál de estas opciones podría ser el número de zapatos que tiene?

○ 18   ○ 15   ○ 12

---

8. Terry tiene un número par de platos. ¿Cuál de estas opciones podría ser el número de platos que tiene?

○ 8   ○ 7   ○ 11

---

9. Jan y su hermano tienen un número impar de lápices y un número par de crayones entre los dos. ¿Cuántos lápices y cuántos crayones podrían tener?

○ 12 lápices y 9 crayones

○ 14 lápices y 12 crayones

○ 13 lápices y 8 crayones

TEKS Razonamiento algebraico: 2.7.B
PROCESOS MATEMÁTICOS
2.1.C, 2.1.F

13.2 10 más, 10 menos

? **Pregunta esencial**

¿De qué manera usas el valor de posición para hallar 10 más o 10 menos que un número dado?

Explora En el mundo

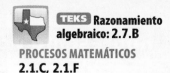

Haz dibujos sencillos de los números.

Niñas

Centenas	Decenas	Unidades

Niños

Centenas	Decenas	Unidades

PARA EL MAESTRO • Diga a los niños que hay 342 niñas en la escuela Central. Pídales que hagan dibujos sencillos del número 342. Luego, dígales que hay 352 niños en la escuela. Pídales que hagan dibujos sencillos del número 352.

Charla matemática
Procesos matemáticos

Describe en qué se diferencian los dos números.

© Houghton Mifflin Harcourt Publishing Company

Usa lo que sabes acerca del valor de posición
para hallar 10 más o 10 menos que un número dado.

10 más que 405	**10 menos que 405**
4 centenas 0 decenas 5 unidades	4 centenas 0 decenas 5 unidades
I decena más	I decena menos
↓	↓
4 centenas I decena	3 centenas 9 decenas
5 unidades = _____	5 unidades = _____
10 más que 297	**10 menos que 297**
2 centenas 9 decenas 7 unidades	2 centenas 9 decenas 7 unidades
I decena más	I decena menos
↓	↓
3 centenas 0 decenas	2 centenas 8 decenas
7 unidades = _____	7 unidades = _____

Comparte y muestra

Escribe el número.

1. 10 más que 827

_____

2. 10 menos que 544

_____

3. 10 menos que 361

_____

4. 10 más que 698

_____

Nombre _____

Escribe el número.

5. 10 más que 914

    _____

6. 10 menos que 205

    _____

7. 10 menos que 1,044

    _____

8. 10 más que 768

    _____

9. 10 más que 551

    _____

10. 10 menos que 1,173

    _____

Resuelve.

11. **H.O.T.** **Múltiples pasos** Rick tiene
    10 crayones más que Lori. Lori tiene
    36 crayones. Tom tiene 10 crayones
    menos que Rick. ¿Cuántos crayones
    tiene cada niño?

    Matemáticas
    al
    instante

    Rojo

    Rick: _____ crayones

    Tom: _____ crayones

    Lori: _____ crayones

12. **H.O.T.** Blake escribió los siguientes acertijos.
    Completa los espacios en blanco para que cada
    oración sea verdadera.

    _____ es 10 menos que 1,200 y 10 más que _____.

    _____ es_____ menos que 300.

Elige la respuesta correcta.

13. **Conecta** La Sra. Pérez tenía 135 adhesivos.
Luego, les dio 10 adhesivos a los estudiantes.
¿Cuántos adhesivos tiene ahora?

    ○ 134

    ○ 145

    ○ 125

14. El Sr. Thomas tenía 124 entradas de cine. Regaló
algunas entradas y ahora tiene 10 entradas menos
que antes. ¿Cuántas entradas de cine tiene ahora?

    ○ 114

    ○ 134

    ○ 125

15. **Analiza** La Sra. Brooks tenía una caja con
146 señaladores para libros. Luego, compró
10 señaladores más. ¿Cuántos señaladores tiene ahora?

    ○ 136

    ○ 156

    ○ 134

16. ⭐ **Preparación para la prueba de TEXAS** El libro de Juan tiene
181 páginas. El libro de Tina tiene 10 páginas más.
¿Cuántas páginas tiene el libro de Tina?

    ○ 191

    ○ 201

    ○ 171

ACTIVIDAD PARA LA CASA • Diga un número de
3 dígitos. Pida a su niño que diga el número que es
10 más que ese número.

Nombre ______________________________

13.2 10 más, 10 menos

Escribe el número.

1. 10 más que 824

____

2. 10 menos que 307

____

3. 10 menos que 1,058

____

4. 10 más que 678

____

5. 10 menos que 363

____

6. 10 más que 1,137

____

Resolución de problemas

7. Kayla escribió el siguiente acertijo. Completa los espacios en blanco para que la oración sea verdadera.

________ es 10 menos que 1,148 y 10 más que ________.

8. **Múltiples pasos** Joan tiene 10 adhesivos más que Todd. Todd tiene 63 adhesivos. Alice tiene 10 adhesivos menos que Joan. ¿Cuántos adhesivos tiene cada niño?

Joan: ________

Alice: ________

Todd: ________

Elige la respuesta correcta.

9. Lía tiene 141 tarjetas postales. Rose tiene 10 tarjetas postales más. ¿Cuántas tarjetas postales tiene Rose?

   ○ 161   ○ 151   ○ 131

10. El Sr. Brown tenía una caja con 104 clips. Luego, encontró 10 clips más en un cajón. ¿Cuántos clips tiene ahora?

   ○ 112   ○ 94   ○ 114

11. Harry tenía 162 tarjetas de colección. Le dio 10 tarjetas a su hermano. ¿Cuántas tarjetas de colección tiene Harry ahora?

   ○ 152
   ○ 142
   ○ 172

12. La Sra. Ryan tenía 165 adhesivos dorados. Les dio 10 adhesivos a sus estudiantes. ¿Cuántos adhesivos dorados le quedaron?

   ○ 164
   ○ 175
   ○ 155

Nombre _____

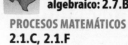
13.3 100 más, 100 menos

? Pregunta esencial

¿De qué manera usas el valor de posición para
hallar 100 más o 100 menos que un número dado?

Explora En el mundo

Manos a la obra

Escribe los números. Haz dibujos sencillos
de los números.

_____

_____

_____

PARA EL MAESTRO • En el primer recuadro,
pida a los niños que escriban el número 213 y que
luego hagan un dibujo sencillo de ese número.
En el segundo recuadro, pídales que escriban el
número que es 10 más que 213 y que hagan un
dibujo sencillo. En el tercer recuadro, repita la actividad con
el número que es 10 menos que 213.

Charla matemática

Procesos matemáticos

Describe en qué se
diferencian tus tres
dibujos.

Usa lo que sabes acerca del valor de posición para hallar 100 más o 100 menos que un número dado.

100 más que 823

8 centenas 2 decenas 3 unidades

I centena más

↓

9 centenas 2 decenas

3 unidades = _____

100 menos que 823

8 centenas 2 decenas 3 unidades

I centena menos

↓

7 centenas 2 decenas

3 unidades = _____

100 más que 957

9 centenas 5 decenas 7 unidades

I centena más

↓

I millar 0 centenas 5 decenas 7 unidades = _____

Comparte y muestra

Escribe el número.

I. 100 más que 364

_____

2. 100 menos que 990

_____

3. 100 menos que 1,003

_____

4. 100 más que 117

_____

Resolución de problemas

Escribe el número.

5. 100 más que 525

_____

6. 100 menos que 191

_____

7. 100 menos que 688

_____

8. 100 más que 432

_____

9. 100 más que 274

_____

10. 100 menos que 1,200

_____

Resuelve. Muestra tu trabajo por escrito o con un dibujo.

11. **H.O.T.** **Múltiples pasos** Mark leyó 203 páginas. Laney leyó 100 páginas más que Mark. Gavin leyó 10 páginas menos que Laney. ¿Cuántas páginas leyó Gavin?

Matemáticas al instante

_____ páginas

12. **H.O.T.** Rex representó un número con 3 bloques de centenas y 16 bloques de decenas. ¿Qué número es 100 más que el número que Rex representó?

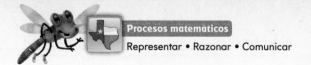

Elige la respuesta correcta.

13. **Conecta** Tina escribió el número 242. James escribió el número que es 100 menos que 242. ¿Qué número escribió James?

   ○ 142

   ○ 322

   ○ 232

14. El rompecabezas de Greg tiene 596 piezas. Greg ya colocó 100 piezas. ¿Cuántas piezas debe colocar todavía?

   ○ 696

   ○ 96

   ○ 496

15. **Analiza** Hay 360 tarjetas de animales en el área de juegos. La maestra llevó 100 tarjetas más. ¿Cuántas tarjetas de animales hay ahora?

   ○ 370

   ○ 460

   ○ 260

16. ⭐ **Preparación para la prueba de TEXAS** Hay 293 clips en una caja. Hay 100 clips menos en un cajón del escritorio. ¿Cuántos clips hay en el cajón?

   ○ 283

   ○ 393

   ○ 193

ACTIVIDAD PARA LA CASA • Diga un número de 3 dígitos. Pida a su niño que diga el número que es 100 menos que ese número.

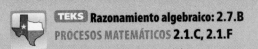
Tarea y práctica

Nombre _____

13.3 100 más, 100 menos

Escribe el número.

1. 100 más que 284

   _____

2. 100 menos que 730

   _____

3. 100 menos que 586

   _____

4. 100 más que 687

   _____

5. 100 menos que 1,180

   _____

6. 100 más que 337

   _____

Resolución de problemas

Resuelve. Muestra tu trabajo por escrito o con un dibujo.

7. Kelly representó un número con 2 bloques de centenas y 18 bloques de decenas. ¿Qué número es 100 más que el número que Kelly representó?

   _____

8. **Múltiples pasos** Adam leyó 175 páginas. Doris leyó 100 páginas más que Adam. Jerry leyó 10 páginas menos que Doris. ¿Cuántas páginas leyó Jerry?

   _____ páginas

Elige la respuesta correcta.

9. Hay 329 tarjetas de colección en una caja grande. Hay 100 tarjetas menos sobre una mesa. ¿Cuántas tarjetas de colección hay sobre la mesa?

   ○ 319   ○ 339   ○ 229

10. Había 250 libros ilustrados en el centro de lectura de la clase de Lauren. La maestra llevó 100 libros ilustrados más. ¿Cuántos libros ilustrados hay ahora?

    ○ 350   ○ 150   ○ 260

11. Zach colocó 112 naipes boca arriba sobre el piso. Luego, el viento abrió la puerta y 100 naipes se volaron. ¿Cuántos naipes hay ahora sobre el piso?

    ○ 102
    ○ 12
    ○ 212

12. El rompecabezas de Megan tiene 1,000 piezas. Megan ya colocó 100 piezas. ¿Cuántas piezas del rompecabezas no colocó aún?

    ○ 900
    ○ 1,100
    ○ 990

Nombre _____

Comparte y muestra

Rotula el modelo. Escribe una oración numérica con un ▢ en el lugar del número desconocido. Resuelve.

3. Hay 316 estudiantes en una escuela. Si 120 estudiantes se quedan en la escuela después de clase para practicar deportes, ¿cuántos estudiantes no se quedan en la escuela?

_____

_____ estudiantes

Resolución de problemas

Resuelve. Muestra tu trabajo por escrito o con un dibujo.

4. **H.O.T.** Rita tiene 250 monedas de 1¢. Algunas monedas de 1¢ están en una caja y otras están en su alcancía. Hay más de 100 monedas de 1¢ en cada lugar. ¿Cuántas monedas de 1¢ podría haber en cada lugar?

_____ monedas de 1¢ en una caja

_____ monedas de 1¢ en su alcancía

5. **H.O.T.** Múltiples pasos El Sr. Taylor tiene 65 dibujos en su salón de clases y 56 dibujos en una pared del pasillo. 13 dibujos son de mascotas. ¿Cuántos dibujos no son de mascotas?

_____ dibujos

Elige la respuesta correcta.

6. **Analiza** Había 275 relojes sobre los estantes de una tienda. El Sr. Young colgó 52 relojes en la pared. ¿Cuántos relojes hay ahora sobre los estantes?

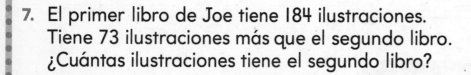

○ 223

○ 327

○ 213

7. El primer libro de Joe tiene 184 ilustraciones. Tiene 73 ilustraciones más que el segundo libro. ¿Cuántas ilustraciones tiene el segundo libro?

Escribe una oración numérica con un ▢ en el lugar del número desconocido. Luego, resuelve.

_____   _____ ilustraciones

8. ⭐ **Preparación para la prueba de TEXAS** Hay 356 gatos y perros en la feria de mascotas. Hay 239 perros. ¿Cuántos gatos hay?

○ 127

○ 117

○ 517

ACTIVIDAD PARA LA CASA • Pida a su niño que explique cómo resolvió alguno de los problemas de esta lección.

Evaluación de la Unidad 3

Vocabulario

Completa las oraciones con las palabras del recuadro.

| par |
| impar |

1. El 9 es un número _____ , igual que el 5. (pág. 442)

2. El 4 es un número _____ , igual que el 8. (pág. 442)

Conceptos y destrezas

Rotula el modelo. Escribe una oración numérica con un ▮ en el lugar del número desconocido. Resuelve. ⚜ TEKS 2.7.C

3. Los estudiantes de la Sra. O'Leary armaron 41 libros en clase. Algunos libros estaban sobre una mesa y 28 libros estaban sobre un estante. ¿Cuántos libros estaban sobre la mesa?

_____ ____ libros

Sombrea los cuadros de diez para mostrar el número. Encierra en un círculo **par** o **impar**. ⚜ TEKS 2.7.A

4. 15

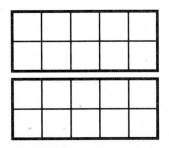

par   impar

5. 20

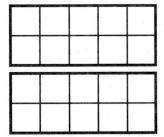

par   impar

6. 18

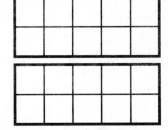

par   impar

Rellena el círculo de la respuesta correcta.

7. La colección de conos de pino de Danny tiene 10 conos más que la de Jared. Jared tiene 26 conos. ¿Cuántos conos de pino tiene Danny? TEKS 2.7.B

- ○ 25
- ○ 36
- ○ 16

8. Marie dibujó 35 flores en su hoja. Alicia dibujó 12 flores más que Marie. ¿Cuál de estas oraciones numéricas puede usarse para hallar cuántas flores dibujó Alicia? TEKS 2.7.C

- ○ $35 + 12 = \blacksquare$
- ○ $35 - 12 = \blacksquare$
- ○ $12 + \blacksquare = 35$

9. Hay un número impar de niñas y un número par de niños en el equipo de fútbol. ¿Cuál de estas opciones podría describir cómo se compone el equipo de fútbol? TEKS 2.7.A

- ○ 9 niñas y 11 niños
- ○ 10 niñas y 9 niños
- ○ 9 niñas y 8 niños

10. Hay que dar 234 pasos para ir del salón de clases a la biblioteca. Hay que dar 100 pasos menos para ir de la biblioteca al patio de recreo. ¿Cuántos pasos hay que dar para ir de la biblioteca al patio de recreo? TEKS 2.7.B

- ○ 134
- ○ 244
- ○ 224

Nombre _____

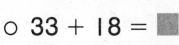

11. Jeff contó 33 ventanas. 18 ventanas estaban abiertas. ¿Cuál de estas oraciones numéricas puede usarse para hallar cuántas ventanas no estaban abiertas? TEKS 2.7.C

○ $33 + 18 =$ ▦
○ $33 - 18 =$ ■
○ $18 + 3 =$ ▦

12. El libro de Linda tiene 211 páginas. El libro de Tanya tiene 10 páginas menos. ¿Cuántas páginas tiene el libro de Tanya? TEKS 2.7.B

○ 201
○ 111
○ 221

13. Hay 575 marcadores en la tienda de marcadores. Hay 100 marcadores más en la tienda de arte. ¿Cuántos marcadores hay en la tienda de arte? TEKS 2.7.B

○ 585
○ 675
○ 475

14. Félix tiene 10 adhesivos menos que Max. Max tiene 39 adhesivos. Pat tiene 10 adhesivos más que Félix. ¿Cuántos adhesivos tiene Pat? TEKS 2.7.B

○ 39
○ 49
○ 29

15. Rita tenía 19 botones y 2 parches. Compró 14 botones más. ¿Cuántos botones tiene ahora? ⬇ TEKS 2.7.C

○ 35

○ 31

○ 33

16. Eric tenía algunas tarjetas de béisbol. Luego, compró 28 tarjetas más. Ahora tiene 91 tarjetas de béisbol. ¿Cuántas tarjetas tenía al comienzo?

Escribe una oración numérica con un ▨ en el lugar del número desconocido. Explica de qué manera la oración numérica muestra el problema. ⬇ TEKS 2.7.C

_____

_____

_____

_____

Usa el siguiente espacio para hallar el número que falta. Asegúrate de mostrar tu trabajo. ⬇ TEKS 2.7.C

¿Cuál es la respuesta a la pregunta? _____

Unidad 4
Geometría y medición

Muestra lo que sabes ✓

Comprueba si comprendes las destrezas importantes.

Nombre _____

Ordenar según la longitud

1. Ordena desde el más corto hasta el más largo. Escribe 1, 2, 3.

_____

_____

_____

La hora exacta

Escribe la hora que muestra el reloj.

2.

3.

Identificar las figuras de dos dimensiones

4. Encierra en un círculo los rectángulos. Tacha con una X los triángulos.

NOTA PARA LA FAMILIA: El propósito de esta página es comprobar si su niño comprende las destrezas importantes que se necesitan para tener éxito en la Unidad 4.

 APRENDE EN LÍNEA

Opciones de evaluación: **Soar to Success Math**

Visualizar

Completa el organizador gráfico para describir la longitud de diferentes objetos.

Palabras de repaso

longitud

más largo

más corto

el más largo

el más corto

longitud

Comprender el vocabulario

Completa las oraciones con las palabras de repaso.

I. El lápiz azul es _____ de los lápices.

_____

2. El lápiz rojo es _____ de los lápices.

_____

3. El lápiz rojo es _____ que el lápiz amarillo.

_____

4. El lápiz azul es _____ que el lápiz amarillo.

Las figuras

escrito por Mary Gobles

Este librito para la casa pertenece a:

_____

Lectura y redacción de matemáticas

Este librito para la casa te servirá para repasar las figuras.

PROCESOS MATEMÁTICOS **2.1.A, 2.1.F**

Hoy saldremos de paseo
y no lo podrás creer,
pero durante el recorrido
¡mi tarea voy a hacer!

Busca estas figuras
en la ciudad.

¿Qué indican las instrucciones de
la tarea?

De pronto, sobre una puerta, un triángulo encontré.

Sus lados, 1, 2 y 3, despacito ya conté.

Enciérralo en un círculo y otra figura ponte a buscar,

que tenga 1, 2, 3 y 4 lados y la puedas señalar.

Seguimos el paseo y algo llamó mi atención:
era un lugar que tenía ventanas a discreción.
Noté sus lados iguales y suspiré aliviado,
¡todos los cristales eran en verdad cuadrados!

Encierra en un círculo un cuadrado.

El pentágono fue muy difícil de encontrar,
pero al rato y en un poste lo pude identificar.
Era un cartel amarillo, yo conté sus 5 lados.

Encierra la figura en un círculo.

La última figura me puse luego a buscar,
el rectángulo que, dicen, es muy fácil encontrar.
¡Lo encontré! Y con mi mamá nos abrazamos
porque las cuatro figuras al final encontramos.

Encierra en un círculo el rectángulo.

Nos fuimos al parque y me puse a jugar
porque mi tarea pude terminar.
Buscar las figuras fue muy divertido
¡y aquí en el parque buscando he seguido!

¿Qué figuras ves en el parque?

Nombre _____

Escribe sobre las matemáticas

Escribe Mira las figuras. Haz un dibujo con estas figuras. Escribe un cuento relacionado con el dibujo.

Repaso del vocabulario
cuadrado
triángulo
rectángulo
pentágono

_____

_____

_____

_____

_____

© Houghton Mifflin Harcourt Publishing Company

485

Descubrir figuras

Mira la ilustración para contestar las preguntas.

1. ¿Dónde ves rectángulos en la ilustración?

   _____

   _____

   _____

2. ¿Cuántos lados tiene un rectángulo?

   _____ lados

3. Mira la ventana grande que está arriba de las puertas. ¿Cuántos rectángulos pequeños hay en las primeras tres hileras de rectángulos?

   _____ rectángulos pequeños

4. Mira el reloj. ¿Cuántos lados tiene?

   _____ lados

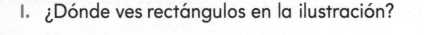
MATH BOARD   Dibuja algunas figuras que tengan lados rectos. Pide a un compañero que describa y que nombre cada figura.

Nombre _____

14.1 Figuras de dos dimensiones

? **Pregunta esencial**

¿Qué figuras puedes nombrar con solo conocer el número de lados y de vértices?

Explora

Usa una regla. Dibuja una figura con 3 lados rectos.
Luego, dibuja una figura con 4 lados rectos.

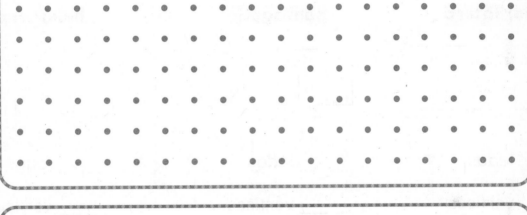

Charla matemática
Procesos matemáticos

Describe en qué se diferencian tus figuras de las figuras que un compañero de clase dibujó.

PARA EL MAESTRO • Pida a los niños que dibujen los lados de las figuras con una regla. Pídales que dibujen una figura de dos dimensiones con 3 lados. Luego, pídales que dibujen una figura de dos dimensiones con 4 lados.

Para nombrar las figuras de dos dimensiones, puedes contar los **lados** y los **vértices.** ¿Cuántos lados y cuántos vértices tiene cada figura?

triángulo

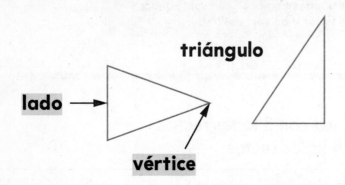

lado →

vértice

_3_ lados

_3_ vértices

---

cuadrilátero	**pentágono**	**hexágono**
		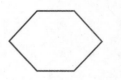
____ lados	____ lados	____ lados
____ vértices	____ vértices	____ vértices

Comparte y muestra

Escribe el número de lados y el número de vértices.

1. triángulo

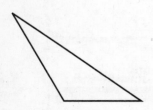

____ lados

____ vértices

✓2. hexágono

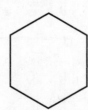

____ lados

____ vértices

✓3. pentágono

____ lados

____ vértices

Nombre _____

| pentágono |
| triángulo |
| hexágono |
| cuadrilátero |

Escribe el número de lados y el número de vértices.
Luego, escribe el nombre de la figura.

4.

_____ lados

_____ vértices

_____

5.

_____ lados

_____ vértices

_____

6.

_____ lados

_____ vértices

_____

7.

_____ lados

_____ vértices

_____

8.

_____ lados

_____ vértices

_____

9.

_____ lados

_____ vértices

_____

10. **H.O.T.** **Múltiples pasos** Alex dibujó
un hexágono y dos pentágonos.
¿Cuántos lados dibujó Alex
en total?

_____ lados

11. **H.O.T.** Lydia dibujó una figura que
tiene 4 vértices. No es un cuadrado.
No es un rectángulo. Dibuja una figura
que podría ser la figura de Lydia.

Elige la respuesta correcta.

12. Aplica Erin vio esta figura. ¿Qué figura es?

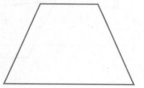

○ pentágono

○ triángulo

○ cuadrilátero

13. ¿Cuántos lados tiene esta figura?

_____ lados

14. ¿Cuántos vértices tiene esta figura?

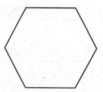

_____ vértices

15. ⭐ **Preparación para la prueba de TEXAS** Esta señal de tránsito es una figura. ¿Qué figura es?

○ cuadrilátero

○ hexágono

○ pentágono

ACTIVIDAD PARA LA CASA • Pida a su niño que dibuje una figura que sea un cuadrilátero.

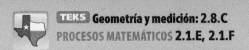
14.1 Figuras de dos dimensiones

Escribe el número de lados y el número de vértices.

I. triángulo

____ lados

____ vértices

2. cuadrilátero

____ lados

____ vértices

3. pentágono

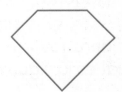

____ lados

____ vértices

Escribe el número de lados y el número de vértices.
Luego, escribe el nombre de la figura.

4.

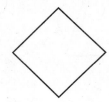

____ lados

____ vértices

_____

5.

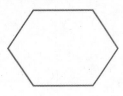

____ lados

____ vértices

_____

6.

____ lados

____ vértices

_____

Resolución de problemas

7. **Múltiples pasos** Brittany dibujó un pentágono y dos triángulos. ¿Cuántos lados dibujó Brittany en total?

_____ lados

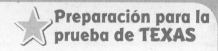
Elige la respuesta correcta.

8. ¿Qué forma tiene este plato?

○ pentágono

○ cuadrilátero

○ hexágono

9. La figura favorita de Ben tiene 5 lados y 5 vértices. ¿Cuál es la figura favorita de Ben?

○ triángulo

○ pentágono

○ hexágono

10. Lynn dibujó esta figura. ¿Cuál es el nombre de la figura?

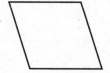

○ cuadrilátero

○ triángulo

○ pentágono

11. Matthew vio esta figura. ¿Qué figura es?

○ hexágono

○ triángulo

○ cuadrilátero

TEKS Geometría y
medición: 2.8.C
PROCESOS MATEMÁTICOS
2.1.E, 2.1.G

14.2 Más figuras de dos dimensiones

Pregunta esencial

¿De qué manera puedes identificar el número de lados y el número de vértices de un polígono?

Explora

Usa una regla. Dibuja la figura.
Escribe los números.

hexágono	pentágono
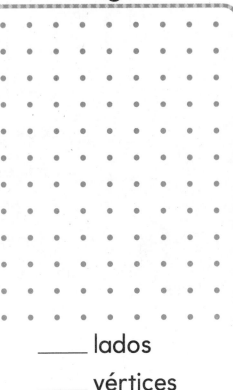 ___ lados ___ vértices	___ lados ___ vértices

PARA EL MAESTRO • Lea el siguiente problema:
Levi quiere dibujar un hexágono y un pentágono.
¿Qué figuras podría dibujar Levi? ¿Cuántos lados y
cuántos vértices tendría cada una de las figuras?
Pida a los niños que dibujen los lados de las figuras
con una regla.

Charla matemática
Procesos matemáticos

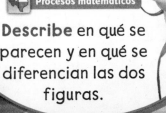
Describe en qué se parecen y en qué se diferencian las dos figuras.

Representa y dibuja

Un **polígono** es una figura cerrada de dos dimensiones que solo tiene lados rectos.

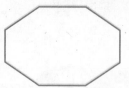

Un **octágono** tiene 8 lados.

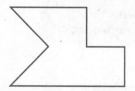

___7___ lados

___7___ vértices

_____ lados

_____ vértices

_____ lados

_____ vértices

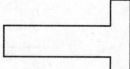

_____ lados

_____ vértices

Comparte y muestra

MATH BOARD

Escribe el número de lados y el número de vértices de cada polígono.

1.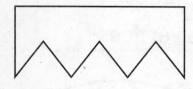

_____ lados

_____ vértices

✓2.

_____ lados

_____ vértices

✓3.

_____ lados

_____ vértices

494 cuatrocientos noventa y cuatro

Nombre _____

Resolución de problemas

Escribe el número de lados y el número de vértices de cada polígono.

4.

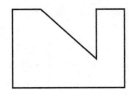

_____ lados

_____ vértices

5.

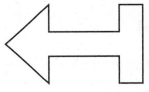

_____ lados

_____ vértices

6. **H.O.T.** Kat dibujó estas tres figuras. Dice que todas son polígonos. ¿Tiene razón? Explica tu respuesta.

_____

_____

7. **H.O.T.** Múltiples pasos

Tim quiere dibujar un polígono con más de 9 lados pero menos de 13 lados. Dibuja más lados para mostrar un polígono que Tim podría dibujar.

El polígono tiene _____ lados.

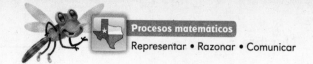

Procesos matemáticos
Representar • Razonar • Comunicar

Elige la respuesta correcta.

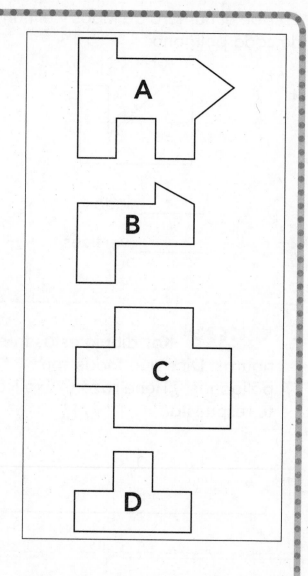

8. Usa diagramas ¿Cuál de estas figuras tiene exactamente 10 lados?

○ B

○ C

○ A

9. ¿Cuál de estas figuras tiene exactamente 8 vértices?

○ D

○ A

○ C

10. Múltiples pasos ¿Cuáles de estas figuras tienen menos de 10 lados?

○ A y B

○ C y D

○ B y D

11. ⭐ **Preparación para la prueba de TEXAS** ¿Cuántos lados tiene este polígono?

○ 11 lados

○ 12 lados

○ 8 lados

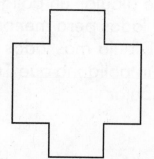

ACTIVIDAD PARA LA CASA • Pida a su niño que explique cómo resolvió alguno de los problemas de esta lección.

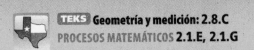
Tarea y práctica

Nombre _____

14.2 Más figuras de dos dimensiones

Escribe el número de lados y el número de vértices de cada polígono.

1.

_____ lados

_____ vértices

2.

_____ lados

_____ vértices

Resolución de problemas

3. Cheryl dibujó estas tres figuras. Dice que todas son polígonos. ¿Tiene razón? Explica tu respuesta.

_____

_____

4. **Múltiples pasos** Ethan comenzó a dibujar un polígono que parece una casa. Dibuja más lados del polígono. ¿Cuántos lados tiene el polígono?

El polígono tiene _____ lados.

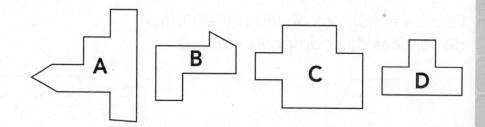
Elige la respuesta correcta.

5. ¿Cuál de estas figuras tiene más de 10 lados?

○ C

○ B

○ A

6. ¿Cuántos lados tiene un hexágono?

○ 8

○ 6

○ 10

7. ¿Cuál de estas figuras es un pentágono?

 ○   ○ 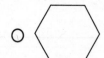   ○

8. ¿Cuál de estas figuras es un octágono?

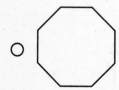 ○   ○ 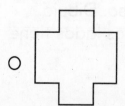   ○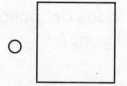

TEKS Geometría y medición: 2.8.D

PROCESOS MATEMÁTICOS
2.1.C, 2.1.E, 2.1.F

14.3
MANOS A LA OBRA

Componer figuras de dos dimensiones

? **Pregunta esencial**

¿De qué manera puedes juntar las figuras de dos dimensiones para formar otras figuras de dos dimensiones?

Explora En el mundo

Manos a la obra

Forma la figura con bloques de patrones.
Dibuja los bloques que usaste y coloréalos.

Usa un bloque.

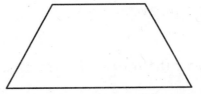

Usa dos bloques.

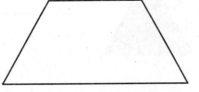

Usa tres bloques.

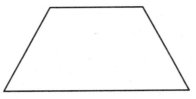

Charla matemática

Procesos matemáticos

Describe el cuadrilátero que Pam formó.

PARA EL MAESTRO • Lea el siguiente problema: Pam usó bloques para formar este cuadrilátero de tres maneras diferentes. Usó un número diferente de bloques cada vez. ¿De qué tres maneras pudo haber formado el cuadrilátero?

Representa y dibuja

Combina las figuras para formar
una figura nueva que tenga 4 lados.

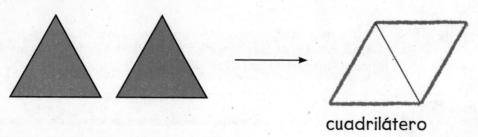

cuadrilátero

Comparte y muestra

Combina los bloques de patrones. Traza los
bloques para mostrar la figura nueva que
formaste. Nombra la figura nueva.

hexágono	octágono
pentágono	triángulo
cuadrilátero	

✓1. Forma una figura nueva que tenga 3 vértices.

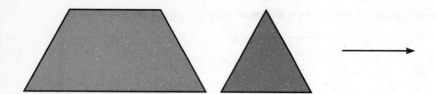

_____

✓2. Forma una figura nueva que tenga 6 lados.

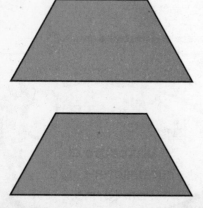

_____

Resolución de problemas

Combina los bloques de patrones. Traza los bloques para mostrar la figura nueva que formaste.

3. Forma una figura nueva que tenga más de 6 lados.

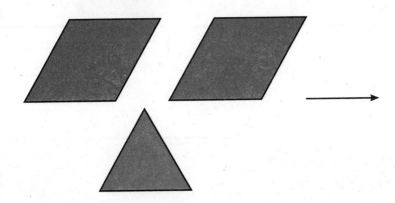

4. **H.O.T.** Todd quiere juntar dos bloques para formar un pentágono. Traza los bloques de patrones para mostrar de qué manera podría hacerlo.

5. **H.O.T.** **Múltiples pasos** Sam juntó bloques para formar un polígono de 10 lados. Haz un dibujo para mostrar un polígono que pudo haber formado. Escribe el número de vértices.

_____ vértices

Elige la respuesta correcta.

6. **Conecta** Kim juntó estos dos bloques. ¿Qué figura nueva formó?

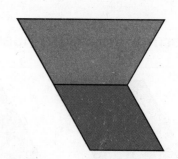

○ cuadrilátero

○ pentágono

○ hexágono

7. Combina los bloques de patrones que se muestran. Forma una figura nueva que tenga 4 lados. Traza la figura nueva.

8.  **Preparación para la prueba de TEXAS** Shawn juntó estos tres bloques. ¿Qué figura nueva formó?

○ pentágono

○ octágono

○ cuadrilátero

ACTIVIDAD PARA LA CASA • Pida a su niño que explique cómo resolvió alguno de los problemas de esta lección.

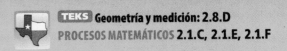

Tarea y práctica

Nombre _____

Componer figuras de dos dimensiones

MANOS A LA OBRA

1. Combina los bloques de patrones para formar una figura nueva que tenga 5 lados. Dibuja la figura nueva y nómbrala.

_____

2. Sue juntó dos bloques de patrones para formar un cuadrilátero. Dibuja la figura que formó.

3. **Múltiples pasos** Albert juntó dos bloques para formar un polígono de 8 lados. Haz un dibujo para mostrar un polígono que pudo haber formado. Escribe el número de vértices.

_____ vértices

© Houghton Mifflin Harcourt Publishing Company

Elige la respuesta correcta.

4. Kyle quiere juntar dos figuras para formar una figura nueva que tenga 4 lados. ¿Cuál de los pares de figuras podría usar Kyle?

○ 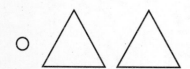   ○ 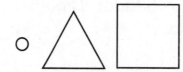   ○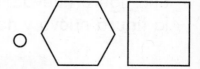

5. Brenda usó dos bloques para formar una figura de 6 lados. ¿Qué figura formó?

○ octágono

○ hexágono

○ pentágono

6. Doug juntó estas dos figuras para formar una figura nueva. ¿Cuántos vértices tiene la figura nueva?

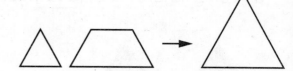

○ 3

○ 4

○ 6

7. Lily juntó un triángulo y un hexágono para formar una figura nueva. ¿Cuántos lados tiene la figura nueva?

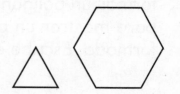

○ 6

○ 9

○ 7

Nombre _____

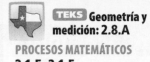 
14.4 Dibujar figuras de dos dimensiones

? Pregunta esencial

¿De qué manera puedes dibujar una figura de dos dimensiones con un número dado de lados y de vértices?

Explora *En el mundo*

Escribe el número de lados y de vértices. Usa la lista de palabras para nombrar la figura.

hexágono	cuadrilátero
octágono	pentágono

_____ lados

_____ vértices

_____

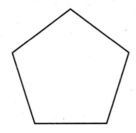

_____ lados

_____ vértices

_____

_____ lados

_____ vértices

_____

Charla matemática
Procesos matemáticos

Explica cómo sabes cuál es el nombre de las tres figuras.

 PARA EL MAESTRO • Lea el siguiente problema:
Tracey dibujó tres figuras. ¿Qué figuras dibujó?

Representa y dibuja

Aquí hay una figura con 4 vértices.
Dibuja otra figura con 4 vértices.

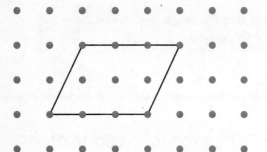

Comparte y muestra

Dibuja la figura con una regla.

1. una figura con 5 lados

2. una figura con 3 vértices

✓3. una figura con 8 vértices

✓4. una figura con 6 lados

506 quinientos seis

Resolución de problemas

Dibuja la figura con una regla.

5. una figura con 5 vértices

6. una figura con 7 lados

7. 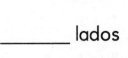 **Múltiples pasos** Janet dibujó un pentágono y un hexágono. ¿Cuántos lados dibujó? Dibuja para comprobar tu respuesta.

_____ lados

8. 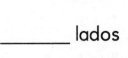 **Múltiples pasos** Ben dibujó 3 figuras que tenían 14 lados en total. Dibuja las figuras que Ben pudo haber dibujado.

Elige la respuesta correcta.

9. **Usa diagramas** Alex hizo un dibujo para mostrar la forma de un jardín. ¿Cuántos lados tiene el jardín?

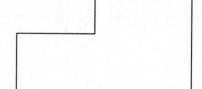

○ 5 lados

○ 8 lados

○ 6 lados

10. Usa una regla. Dibuja una figura que tenga 8 lados. Luego, dibuja una figura que tenga 5 vértices.

11. ⭐ **Preparación para la prueba de TEXAS** Terry dibujó esta figura. ¿Cuántos vértices tiene la figura?

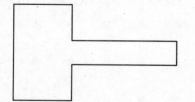

○ 8 vértices

○ 4 vértices

○ 6 vértices

ACTIVIDAD PARA LA CASA • Pida a su niño que explique cómo resolvió alguno de los problemas de esta lección.

Tarea y práctica

Nombre _____

14.4 Dibujar figuras de dos dimensiones

Dibuja la figura con una regla.

1. una figura con 6 vértices

2. una figura con 9 lados

Resolución de problemas

3. Múltiples pasos Laura dibujó un hexágono y un octágono. ¿Cuántos lados dibujó? Dibuja para comprobar tu respuesta.

_____ lados

Elige la respuesta correcta.

4. Henry dibujó esta figura. ¿Cuántos lados tiene la figura?

   ○ 11

   ○ 12

   ○ 8

5. Melinda dibujó su peine. ¿Cuántos vértices tiene esta figura?

   ○ 9

   ○ 7

   ○ 10

6. Nate dibujó su habitación. ¿Cuántos lados tiene su habitación?

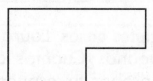

   ○ 4

   ○ 8

   ○ 6

7. Keith dibujó un campo de béisbol. ¿Cuántos vértices tiene un campo de béisbol?

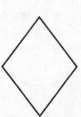

   ○ 3

   ○ 5

   ○ 4

Nombre _____

TEKS Geometría y medición: 2.8.E

PROCESOS MATEMÁTICOS
2.1.D, 2.1.E, 2.1.F

 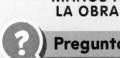

Separar figuras de dos dimensiones

MANOS A LA OBRA

? Pregunta esencial

¿De qué manera puedes separar las figuras de dos dimensiones para formar otras figuras?

 Explora En el mundo

Encierra en un círculo los nombres de las figuras que ves dentro de la figura azul.

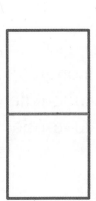 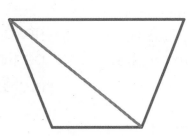 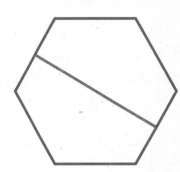

pentágonos	pentágonos	pentágonos
cuadrados	cuadrados	cuadrados
triángulos	triángulos	triángulos

 PARA EL MAESTRO • Pida a los niños que identifiquen las figuras que ven dentro de los cuadriláteros y el hexágono.

 **Charla matemática**
Procesos matemáticos

Describe las figuras usando las palabras **entero** y **partes.**

© Houghton Mifflin Harcourt Publishing Company

Representa y dibuja

Puedes plegar y cortar este hexágono para formar dos cuadriláteros.

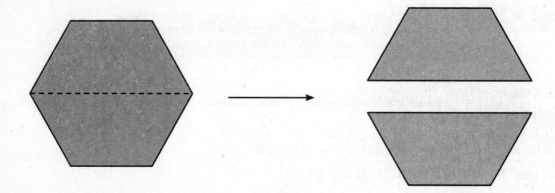

Comparte y muestra

Usa figuras de papel. Pliégalas para formar dos figuras nuevas. Corta por el pliegue. Haz un dibujo para mostrar lo que hiciste. Nombra las figuras nuevas.

hexágono	triángulo
pentágono	cuadrilátero
rectángulo	cuadrado

☑ 1.

Formé dos _____.

☑ 2.

Formé dos _____.

Nombre _____

Usa figuras de papel. Pliégalas para formar
dos figuras nuevas. Corta por el pliegue.
Haz un dibujo para mostrar lo que hiciste.
Nombra las figuras nuevas.

hexágono	triángulo
pentágono	cuadrilátero
rectángulo	cuadrado

3.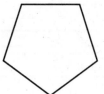

Formé dos _____.

4.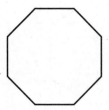

Formé dos _____.

5.  Alberto cortó esta
figura para formar tres rectángulos.
Los tres rectángulos son de
diferente tamaño. Dibuja líneas
para mostrar los rectángulos que
Alberto pudo haber formado.

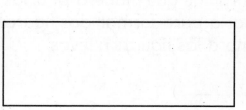

6. H.O.T. **Múltiples pasos** Mónica formó
figuras nuevas del mismo tamaño.
Comenzó a trazar líneas para mostrar
lo que hizo. Completa el dibujo de Mónica.

¿Cuántas figuras formó?

_____

Nombra las figuras nuevas. _____

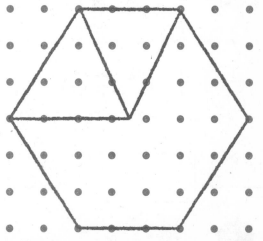

Procesos matemáticos

Representar • Razonar • Comunicar

Elige la respuesta correcta.

7. María plegó esta figura para formar figuras nuevas.
   ¿Qué figuras nuevas formó?

   ○ triángulos
   ○ cuadrados
   ○ pentágonos

8. **Analiza** Sue plegó esta figura para formar figuras
   nuevas. ¿Qué figuras nuevas formó?

   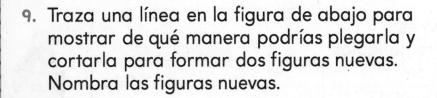

   ○ hexágonos
   ○ pentágonos
   ○ cuadriláteros

9. Traza una línea en la figura de abajo para
   mostrar de qué manera podrías plegarla y
   cortarla para formar dos figuras nuevas.
   Nombra las figuras nuevas.

   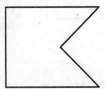

   Formé _____ .

10.  **Preparación para la prueba de TEXAS** ¿Cuál muestra una manera de
    plegar y cortar un rectángulo para formar dos triángulos?

       ○    ○   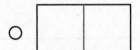 ○

ACTIVIDAD PARA LA CASA • Pida a su niño que explique cómo
resolvió alguno de los problemas de esta lección.

© Houghton Mifflin Harcourt Publishing Company

Nombre _____

14.5 Separar figuras de dos dimensiones

MANOS A LA OBRA

Usa figuras de papel. Pliégalas para formar dos figuras nuevas. Corta por el pliegue. Haz un dibujo para mostrar lo que hiciste. Nombra las figuras nuevas.

I.

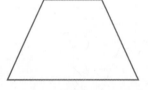

Formé dos _____.

2.

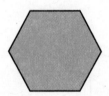

Formé dos _____.

Resolución de problemas

3. **Múltiples pasos** Emma formó algunas figuras nuevas del mismo tamaño. Comenzó a trazar líneas para mostrar lo que hizo. Completa el dibujo de Emma.

¿Cuántas figuras formó?

_____

Nombra las figuras nuevas. _____

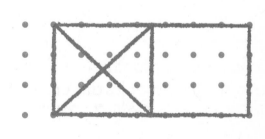

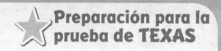
Elige la respuesta correcta.

4. ¿Cuál muestra una manera de plegar y cortar un rectángulo para formar dos triángulos?

○ 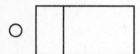   ○ 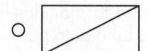   ○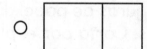

5. Willie plegó esta figura para formar figuras nuevas. ¿Qué figuras nuevas formó?

   ○ pentágonos

   ○ triángulos

   ○ cuadriláteros

6. Amy plegó esta figura para formar figuras nuevas. ¿Qué figuras nuevas formó?

   ○ triángulos

   ○ cuadrados

   ○ cuadriláteros

7. Gavin quiere plantar tres tipos de flores en su jardín. Dividió el jardín en tres partes. ¿Qué figuras formó Gavin?

   ○ cuadrados

   ○ triángulos

   ○ rectángulos

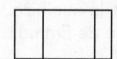

14.6 **Agrupar figuras de dos dimensiones**

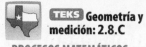
? Pregunta esencial

¿De qué manera puedes usar algunos atributos para agrupar las figuras de dos dimensiones?

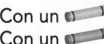 **Explora** *En el mundo*

Con un 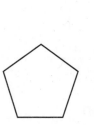, colorea los cuadriláteros.
Con un , colorea los pentágonos.
Con un , colorea los hexágonos.

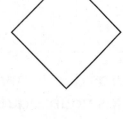
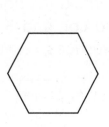

 **Charla matemática**
Procesos matemáticos
¿Qué regla de agrupación podría incluir todas las figuras? **Explica** tu respuesta.

 PARA EL MAESTRO • Pida a los niños que usen crayones para identificar las figuras.

¿Qué figuras tienen menos de 8 lados? Enciérralas en un círculo.

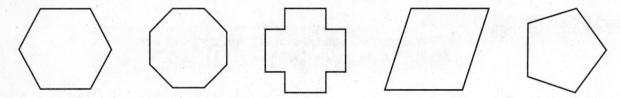

1. Encierra en un círculo las figuras que tienen exactamente 4 lados. Tacha con una X las figuras que tienen más de 4 vértices.

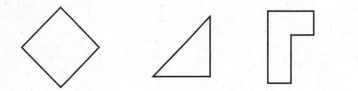

2. Encierra en un círculo las figuras que tienen más de 4 lados. Tacha con una X las figuras que tienen exactamente 4 vértices.

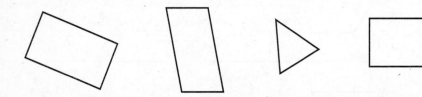

3. Encierra en un círculo las figuras que tienen exactamente 6 vértices. Tacha con una X las figuras que tienen menos de 6 lados.

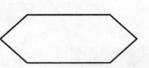   

Nombre _____

Resolución de problemas

4. Encierra en un círculo las figuras que tienen más de 8 lados. Tacha con una X las figuras que tienen exactamente 8 vértices.

 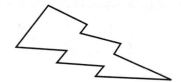

5.  **Múltiples pasos** Mitch está jugando con algunas figuras. Cada lado vale 5¢. Encierra en un círculo las figuras que valen 25¢.

Matemáticas al instante

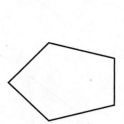  

6. **H.O.T.** **Múltiples pasos** Dibuja tres figuras que sigan la regla. Enciérralas en un círculo. Luego, dibuja dos figuras que no sigan la regla.

figuras con menos de 6 lados

Módulo 14 • Lección 6   quinientos diecinueve **519**

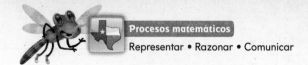

Procesos matemáticos
Representar • Razonar • Comunicar

Elige la respuesta correcta.

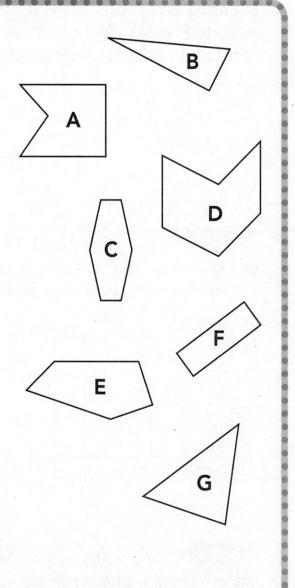

7. **Usa diagramas** ¿Cuál de estas figuras tiene exactamente 6 lados?

   ○ F

   ○ C

   ○ A

8. ¿Cuál de estas figuras está en un grupo de figuras que tienen menos de 5 vértices?

   ○ A

   ○ G

   ○ D

9. **Usa diagramas** ¿Cuál de estas figuras tiene exactamente 5 vértices?

   ○ D

   ○ B

   ○ E

10. ⭐ **Preparación para la prueba de TEXAS** ¿Cuál de estas figuras sigue la regla de agrupación?

    figuras con más de 6 lados

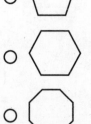

ACTIVIDAD PARA LA CASA • Pida a su niño que describa algunas de las figuras que aparecen en esta lección.

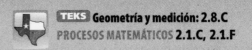
Nombre _____

14.6 Agrupar figuras de dos dimensiones

1. Encierra en un círculo las figuras que tienen menos de 8 lados. Tacha con una X las figuras que tienen más de 8 lados.

   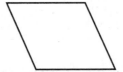

2. Encierra en un círculo las figuras que tienen exactamente 3 lados. Tacha con una X las figuras que tienen más de 3 vértices.

Resolución de problemas

3. **Múltiples pasos** Dibuja tres figuras que sigan la regla. Enciérralas en un círculo. Luego, dibuja dos figuras que no sigan la regla.

figuras con menos de 5 lados

Elige la respuesta correcta.

Usa las figuras del recuadro para resolver los Ejercicios 4 a 6.

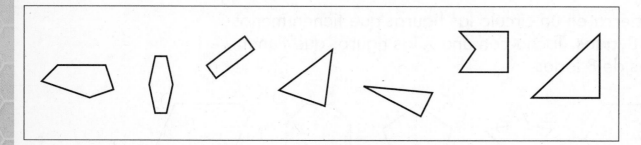

4. Eric agrupó las figuras que tienen exactamente 3 lados. ¿Cuántas figuras hay en el grupo?

   ○ 5   ○ 2   ○ 3

5. Ámbar agrupó los pentágonos. ¿Cuántas figuras hay en el grupo?

   ○ 2   ○ 3   ○ 1

6. Justin agrupó las figuras que tienen 6 vértices. ¿Cuántas figuras hay en el grupo?

   ○ 2   ○ 1   ○ 3

7. ¿Cuál de estas figuras sigue la regla de agrupación?

   figuras con más de 5 lados

   ○ 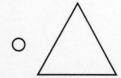   ○ 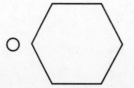   ○

Nombre _____

Conceptos y destrezas

Dibuja la figura con una regla. ⬇ TEKS 2.8.A

1. una figura con 5 lados

2. una figura con 4 vértices

3. Combina los bloques de patrones. Traza los bloques para mostrar de qué manera formaste la figura nueva. ⬇ TEKS 2.8.D

Forma una figura nueva que tenga 6 vértices.

4. Encierra en un círculo las figuras con más de 4 vértices. ⬇ TEKS 2.8.C

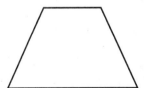

Rellena el círculo de la respuesta correcta.

5. Dev dibujó este pentágono. ¿Cuántos vértices tiene el pentágono? TEKS 2.8.C

○ 5 vértices

○ 4 vértices

○ 6 vértices

6. Elena dibujó este polígono. ¿Cuántos lados tiene el polígono?  TEKS 2.8.C

○ 8 lados

○ 12 lados

○ 13 lados

7. Paulo dibujó esta figura. ¿Cuál es el nombre de la figura? 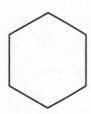 TEKS 2.8.C

○ hexágono

○ octágono

○ cuadrilátero

8. Bárbara plegó la figura por la línea. ¿Qué figuras nuevas formó? TEKS 2.8.E

○ 2 cuadrados

○ 1 cuadrado, 1 triángulo

○ 2 triángulos

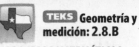 **TEKS** Geometría y medición: 2.8.B
PROCESOS MATEMÁTICOS
2.1.A, 2.1.E

 **Figuras de tres dimensiones**

 Pregunta esencial

¿Qué objetos tienen la misma forma que algunas figuras de tres dimensiones, o sólidos?

Explora

Dibuja un objeto que tenga la forma que se muestra.

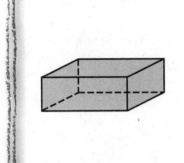

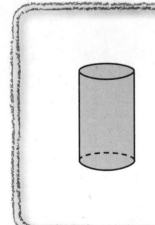

 PARA EL MAESTRO • Pida a los niños que miren el primer sólidos y que nombren algunos objetos reales que tengan esa forma, como una caja de cereal. Pida a cada niño que dibuje un objeto real que tenga esa forma. Repita la actividad con el segundo sólido.

 **Charla matemática**

Procesos matemáticos

Describe en qué se parecen los sólidos.
Describe en qué se diferencian.

Representa y dibuja

Estas son figuras de tres dimensiones. Compara la forma y la superficie de los diferentes sólidos.

cubo	**prisma rectangular**	**prisma triangular**
esfera	**cilindro**	**cono**

¿Cuál de estos objetos tiene forma de cubo?

Comparte y muestra

 MATH BOARD

Encierra en un círculo los objetos que son iguales al sólido que se nombra.

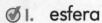 1. esfera

2. prisma triangular

526 quinientos veintiséis

© Houghton Mifflin Harcourt Publishing Company • Image Credits: (tc) ©Corbis; (cr) Mettafoto / Alamy

Resolución de problemas

Encierra en un círculo los objetos que son iguales al
sólido que se nombra.

3. cilindro

4. prisma
rectangular

5. cono

6. **H.O.T.** **Múltiples pasos** Encierra en un círculo los
sólidos que tienen una superficie curva. Tacha con una
X los sólidos que no tienen una superficie curva.

7. **H.O.T.** Julio hizo un cubo y usó cuadrados
de cartón para las superficies planas.
¿Cuántos cuadrados usó?

_____ cuadrados

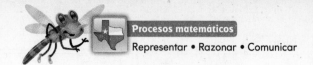

Tarea diaria de evaluación

Completa con el nombre de los sólidos.

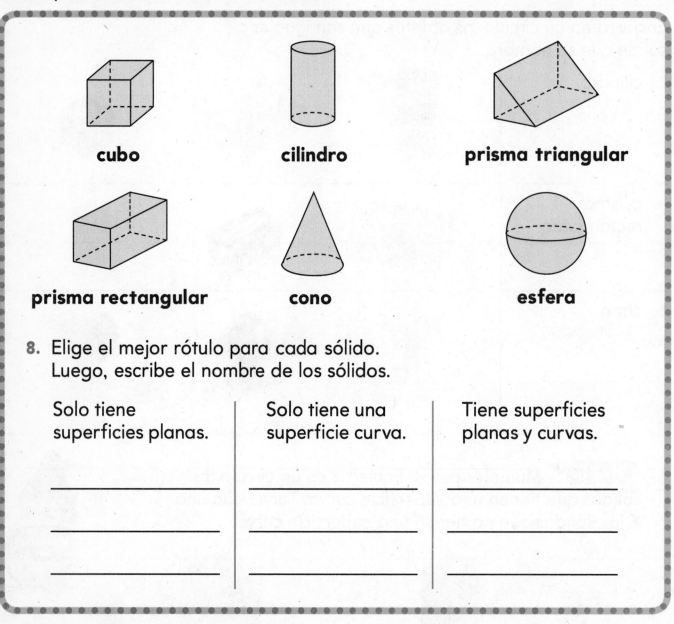

cubo

cilindro

prisma triangular

prisma rectangular

cono

esfera

8. Elige el mejor rótulo para cada sólido.
Luego, escribe el nombre de los sólidos.

Solo tiene superficies planas.	Solo tiene una superficie curva.	Tiene superficies planas y curvas.

9. ⭐ **Preparación para la prueba de TEXAS** ¿Cuál es el nombre de este sólido?

○ prisma triangular

○ cono

○ cilindro

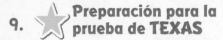

ACTIVIDAD PARA LA CASA • Pida a su niño que nombre un objeto que tenga forma de cubo.

528 quinientos veintiocho

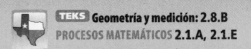
Tarea y práctica

Nombre _____

15.1 Figuras de tres dimensiones

Encierra en un círculo los objetos que son iguales al sólido que se nombra.

1. cubo

2. prisma rectangular

3. cilindro

Resolución de problemas

4. **Múltiples pasos** Encierra en un círculo los objetos que tienen una superficie curva. Tacha con una X los objetos que no tienen una superficie curva.

Elige la respuesta correcta.

5. ¿Cuál de estos objetos tiene la forma de un cilindro?

○   ○    ○

6. James vio esta caja. ¿Qué sólido tiene la misma forma que esta caja?

○ cono

○ prisma triangular

○ cilindro

7. A Kara le encanta envolver cajas para regalo. ¿Qué sólido tiene la misma forma que la caja?

○ prisma rectangular

○ prisma triangular

○ esfera

8. A Arthur le gusta jugar al básquetbol. ¿Qué sólido tiene la misma forma que la pelota de básquetbol?

○ cono

○ esfera

○ cubo

Nombre _____

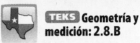
 15.2 **Agrupar figuras de tres dimensiones**

 Pregunta esencial

¿Cómo describirías las caras de los prismas?

Explora En el mundo

Encierra en un círculo los conos. Tacha con una X la esfera.

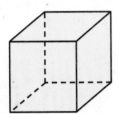
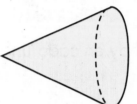
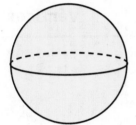
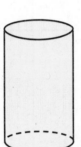

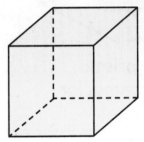

Charla matemática
Procesos matemáticos

Nombra los otros sólidos que aparecen en esta página. **Describe** en qué se diferencian.

 CONEXIÓN CON LA CASA • Su niño identificó los sólidos de esta página para repasar algunos de los diferentes tipos de sólidos.

Las **caras** de un cubo son cuadrados.

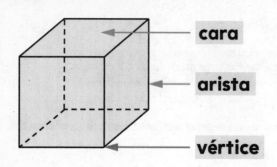

cara

arista

vértice

Los **vértices** son las esquinas del cubo.

Comparte y muestra

Escribe cuántos hay en cada uno.

	caras	aristas	vértices
✓1. prisma rectangular	_____	_____	_____
✓2. cubo	_____	_____	_____

Nombre _____

Resolución de problemas

Escribe cuántos hay de cada uno.

	caras	aristas	vértices
3.  prisma triangular	_____	_____	_____

Resuelve. Explica por escrito o con un dibujo.

4. 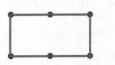 **Múltiples pasos** Se muestran dos de las seis caras de un sólido. Dibuja las otras caras.

¿Cuál es el nombre del sólido?

_____

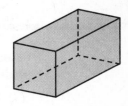

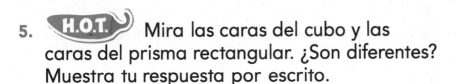

5. Mira las caras del cubo y las caras del prisma rectangular. ¿Son diferentes? Muestra tu respuesta por escrito.

_____

_____

_____

_____

Completa con los nombres de los sólidos.

cubo

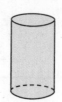

cilindro

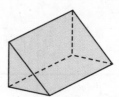

prisma triangular

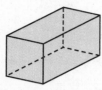

prisma rectangular

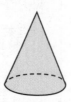

cono

esfera

6. Decide cuál de estos rótulos es verdadero para cada sólido. Luego, escribe el nombre de los sólidos.

Tiene exactamente 6 caras.	Tiene exactamente 6 vértices.	Tiene exactamente 12 aristas.
_____	_____	_____
_____	_____	_____
_____	_____	_____

7. ⭐ **Preparación para la prueba de TEXAS** ¿Cuántas caras tiene un prisma triangular?

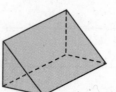

○ 5
○ 9
○ 6

ACTIVIDAD PARA LA CASA • Pida a su niño que le diga cuántas caras tiene una caja de cereal o algún otro tipo de caja.

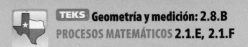

Tarea y práctica

TEKS **Geometría y medición: 2.8.B**
PROCESOS MATEMÁTICOS **2.1.E, 2.1.F**

Nombre _____

15.2 Agrupar figuras de tres dimensiones

Escribe cuántos hay de cada uno.

	caras	aristas	vértices
1. prisma rectangular	_____	_____	_____
2. prisma triangular	_____	_____	_____

Resolución de problemas

3. **Múltiples pasos** Se muestran tres de las seis caras de un sólido. Dibuja las otras caras.

¿Cuál es el nombre del sólido?

_____

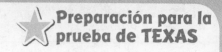
Elige la respuesta correcta.

4. ¿Cuántas caras tiene un prisma triangular?

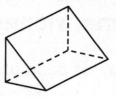

  ○ 9

  ○ 6

  ○ 5

5. Gina tiene una caja de cereal con 6 caras, 12 aristas y 8 vértices. ¿Qué sólido tiene la misma forma que la caja de cereal?

  ○ cilindro

  ○ prisma rectangular

  ○ prisma triangular

6. Dave le regaló a su hermano un carro de juguete. El carro estaba en una caja que es un prisma rectangular con 6 caras cuadradas. ¿Qué otro nombre tiene este prisma rectangular?

  ○ cubo

  ○ cono

  ○ prisma triangular

7. Julie compró un pedazo de queso. El queso está en una caja que tiene 2 caras triangulares y 3 caras rectangulares. ¿Qué sólido tiene la misma forma que la caja?

  ○ cono

  ○ prisma triangular

  ○ prisma rectangular

Nombre _____

15.3
MANOS A LA OBRA
Componer figuras de tres dimensiones

? Pregunta esencial

¿De qué manera puedes hacer un prisma rectangular?

Explora *En el mundo*

Encierra en un círculo los sólidos con superficies curvas.
Tacha con una X los sólidos con superficies planas.

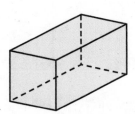
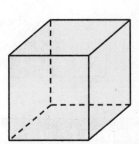
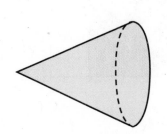
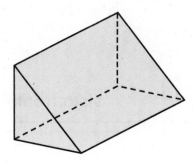
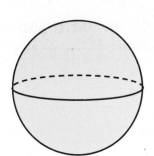
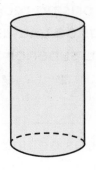

Charla matemática
Procesos matemáticos

Nombra los sólidos que tachaste con una X. **Describe** en qué se diferencian.

CONEXIÓN CON LA CASA • Su niño usó los atributos de los sólidos para agrupar los sólidos de esta página.

Representa y dibuja

Haz este prisma rectangular
con 12 cubos de una unidad.

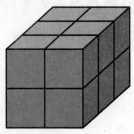

El sombreado muestra las vistas superior y frontal.

vista superior	vista frontal
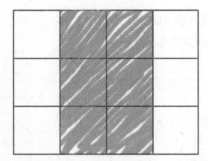	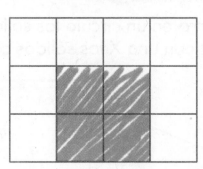

Comparte y muestra

Haz un prisma rectangular con el número dado
de cubos de una unidad. Sombrea para mostrar
las vistas superior y frontal.

	vista superior	vista frontal
☑ 1. 9 cubos de una unidad		
☑ 2. 16 cubos de una unidad		

Resolución de problemas

Haz un prisma rectangular con el número dado
de cubos de una unidad. Sombrea para mostrar
las vistas superior y frontal.

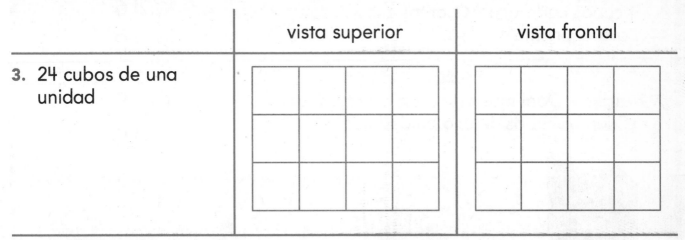

	vista superior	vista frontal
3. 24 cubos de una unidad		

4. **H.O.T.** **Múltiples pasos** Se muestran las vistas
superior, lateral y frontal de un prisma rectangular. Haz
el prisma. ¿Cuántos cubos de una unidad se usan para
hacer este sólido?

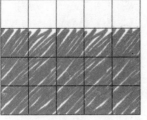
vista superior

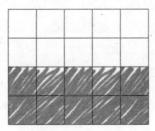
vista frontal

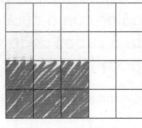
vista lateral

_____ cubos de
una unidad

5. **H.O.T.** Jen usó 18 cubos para hacer un prisma
rectangular. Se muestran las vistas superior y frontal.
Sombrea para mostrar la vista lateral.

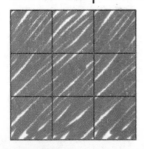
vista superior

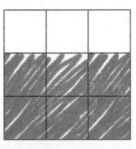
vista frontal

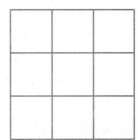
vista lateral

Elige la respuesta correcta.

6. **Aplica** Theo hizo la primera capa de un prisma rectangular con 4 cubos. Añadió 3 capas más de 4 cubos cada una. ¿Cuántos cubos usó para el prisma?

   ○ 7
   ○ 16
   ○ 12

7. **Analiza** Dani hizo este prisma rectangular. ¿Cuántos cubos de una unidad usó?

   ○ 18
   ○ 10
   ○ 24

8. **Múltiples pasos** Elena hizo la primera capa de un prisma rectangular con 6 cubos. James añadió 2 capas más de 6 cubos cada una. ¿Cuántos cubos usaron para hacer el prisma?

   ○ 8
   ○ 18
   ○ 12

9. ⭐ **Preparación para la prueba de TEXAS** Tyler hizo un prisma rectangular con cubos de una unidad. ¿Cuántos cubos de una unidad usó?

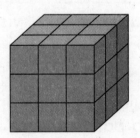

   ○ 27
   ○ 9
   ○ 18

ACTIVIDAD PARA LA CASA • Pida a su niño que explique cómo resolvió alguno de los ejercicios de esta lección.

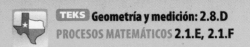

Tarea y práctica

Nombre _____

15.3

MANOS A LA OBRA

Componer figuras de tres dimensiones

Sombrea para mostrar las vistas superior y frontal de cada prisma rectangular.

	vista superior	vista frontal
1.		
2.		

Resolución de problemas

3. Se muestran las vistas superior, lateral y frontal de un prisma rectangular. ¿Cuántos cubos de una unidad se usaron para hacer este sólido?

_____ cubos

vista superior	vista frontal	vista lateral

Elige la respuesta correcta.

4. Ken hizo un prisma rectangular con cubos de una unidad. ¿Cuántos cubos de una unidad usó Ken?

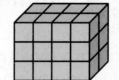

- ○ 24
- ○ 8
- ○ 12

5. **Múltiples pasos** Abby hizo la primera capa de un prisma rectangular con 6 cubos. Liam añadió 2 capas más. ¿Cuántos cubos usaron para el prisma?

- ○ 7
- ○ 18
- ○ 10

6. Colby hizo la primera capa de un prisma rectangular con 8 cubos. Añadió otra capa de cubos. ¿Cuántos cubos usó para el prisma?

- ○ 9
- ○ 8
- ○ 16

7. Érica hizo la primera capa de un prisma rectangular con 2 cubos. Añadió 3 capas más. ¿Cuántos cubos usó para el prisma?

- ○ 4
- ○ 8
- ○ 6

Evaluación del Módulo 15

Conceptos y destrezas

Encierra en un círculo los objetos que son iguales al sólido que se nombra. ◆ TEKS 2.8.B

1. cilindro

2. cubo

3. cono

Haz un prisma rectangular con el número dado de cubos de una unidad. Sombrea para mostrar las vistas superior y frontal. ◆ TEKS 2.8.D

	vista superior	vista frontal
4. 20 cubos de una unidad		

Rellena el círculo de la respuesta correcta.

5. ¿Qué sólido tiene 5 caras, 9 aristas y 6 vértices? ➤ TEKS 2.8.B

   ○ prisma rectangular

   ○ prisma triangular

   ○ cilindro

6. ¿Cuál es el nombre de este sólido? ➤ TEKS 2.8.B

   ○ cubo

   ○ cono

   ○ cilindro

7. Nora hizo un prisma rectangular con cubos de una unidad. ¿Cuántos cubos de una unidad usó Nora? ➤ TEKS 2.8.D

   ○ 12

   ○ 8

   ○ 6

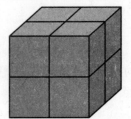

8. Kevin tiene un cubo. ¿Cuántos vértices tiene un cubo? ➤ TEKS 2.8.B

   ○ 6

   ○ 16

   ○ 8

9. Amy trazó el contorno de la parte inferior de un cilindro. ¿Qué figura dibujó Amy? ➤ TEKS 2.8.B

   ○ círculo

   ○ cuadrado

   ○ triángulo

Nombre _____

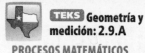

16.1
MANOS A LA OBRA

Medir con modelos de pulgadas

 Pregunta esencial

¿De qué manera puedes usar modelos de pulgadas para medir la longitud?

Explora En el mundo

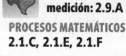 Manos a la obra

Usa fichas cuadradas de colores para medir la longitud.

_____ fichas cuadradas de colores

_____ fichas cuadradas de colores

_____ fichas cuadradas de colores

Charla matemática

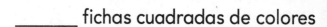 Procesos matemáticos

Describe de qué manera puede medirse la longitud de un objeto con fichas cuadradas de colores.

 PARA EL MAESTRO • Lea el siguiente problema: Manny quiere conocer la longitud de sus tres limpiapipas. ¿De qué manera puede medir los limpiapipas?

Representa y dibuja

Una ficha cuadrada mide aproximadamente I **pulgada** de largo.

Aproximadamente, ¿cuántas pulgadas de largo mide esta cuerda?

> Cuenta las fichas cuadradas de colores para medir la **longitud** de la cuerda en pulgadas.

La cuerda mide 4 fichas de largo.

Entonces, la cuerda mide aproximadamente _____ pulgadas de largo.

Comparte y muestra

Usa fichas cuadradas de colores. Mide la longitud del objeto en pulgadas.

1.

aproximadamente_____ pulgadas

2.

aproximadamente_____ pulgadas

☑ 3.

aproximadamente_____ pulgadas

☑ 4.

aproximadamente_____ pulgadas

Nombre _____

Usa fichas cuadradas de colores. Mide la longitud del objeto en pulgadas.

5.

aproximadamente_____ pulgadas

6.

aproximadamente_____ pulgadas

7.

aproximadamente_____ pulgadas

Resuelve.

8. **H.O.T.** **Múltiples pasos** Las guirnaldas de papel azul miden 8 pulgadas de largo. Las guirnaldas de papel rojo miden 6 pulgadas de largo. ¿Cuántas guirnaldas se necesitan para tener 22 pulgadas de guirnaldas de papel?

_____ guirnaldas azules

_____ guirnaldas rojas

9. **H.O.T.** Luisa tiene un pedazo de cinta que mide 12 pulgadas de largo. Debe cortarla en pedazos de 4 pulgadas de largo cada uno. ¿Cuántos pedazos puede cortar?

_____ pedazos

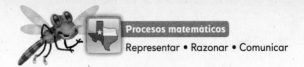
Elige la respuesta correcta.

10. Mide con fichas cuadradas de colores.
¿Cuál describe mejor la longitud del crayón?

○ aproximadamente 1 pulgada

○ aproximadamente 6 pulgadas

○ aproximadamente 4 pulgadas

---

11. Analiza La cinta mide aproximadamente
5 pulgadas de largo. ¿Cuál describe mejor
la longitud del estambre?

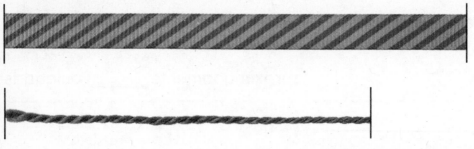

○ aproximadamente 4 pulgadas

○ aproximadamente 2 pulgadas

○ aproximadamente 6 pulgadas

12. ⭐ **Preparación para la prueba de TEXAS** Jeremy midió el estambre con fichas
cuadradas. ¿Cuál describe mejor la longitud del estambre?

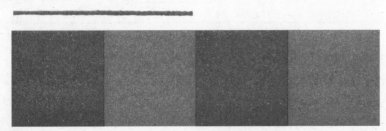

○ aproximadamente
1 pulgada

○ aproximadamente
3 pulgadas

○ aproximadamente
2 pulgadas

ACTIVIDAD PARA LA CASA • Pida a su niño que use varios artículos pequeños del
mismo tipo (como clips) para medir la longitud de algunos objetos de la casa.

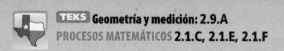
Tarea y práctica

Nombre _____

16.1
MANOS A LA OBRA

Medir con modelos de pulgadas

Cada ficha cuadrada mide I pulgada de largo.
¿Cuál es la longitud del objeto en pulgadas?

I.

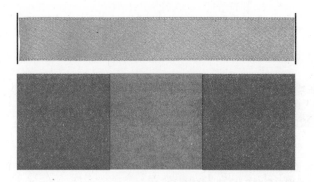

aproximadamente
_____ pulgadas

2.

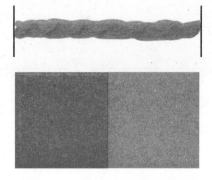

aproximadamente
_____ pulgadas

Resolución de problemas

3. **Múltiples pasos** Las guirnaldas de papel azul miden 4 pulgadas
de largo. Las guirnaldas de papel rojo miden 3 pulgadas
de largo. ¿Cuántas guirnaldas se necesitan para tener
10 pulgadas de guirnaldas de papel?

_____ guirnaldas azules   _____ guirnaldas rojas

Repaso de la lección

Preparación para la prueba de TEXAS

Elige la respuesta correcta.

4. El estambre mide aproximadamente 4 pulgadas de largo. ¿Cuál describe mejor la longitud del bolígrafo?

   ○ aproximadamente 1 pulgada
   ○ aproximadamente 6 pulgadas
   ○ aproximadamente 4 pulgadas

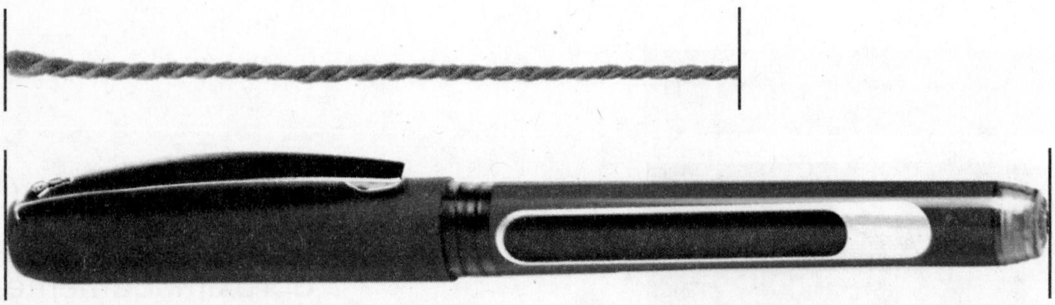

5. La cinta mide aproximadamente 4 pulgadas de largo. ¿Cuál describe mejor la longitud del estambre?

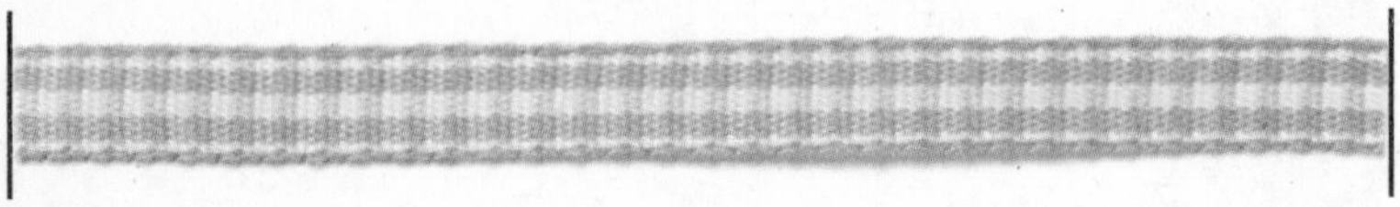

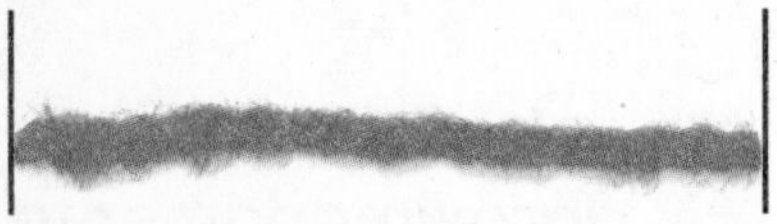

   ○ aproximadamente 2 pulgadas
   ○ aproximadamente 5 pulgadas
   ○ aproximadamente 4 pulgadas

6. El estambre mide aproximadamente 3 pulgadas de largo. ¿Cuál describe mejor la longitud del crayón?

   ○ aproximadamente 3 pulgadas
   ○ aproximadamente 6 pulgadas
   ○ aproximadamente 4 pulgadas

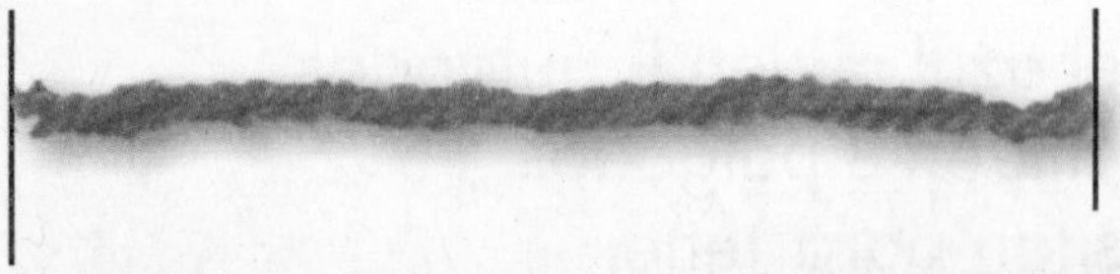

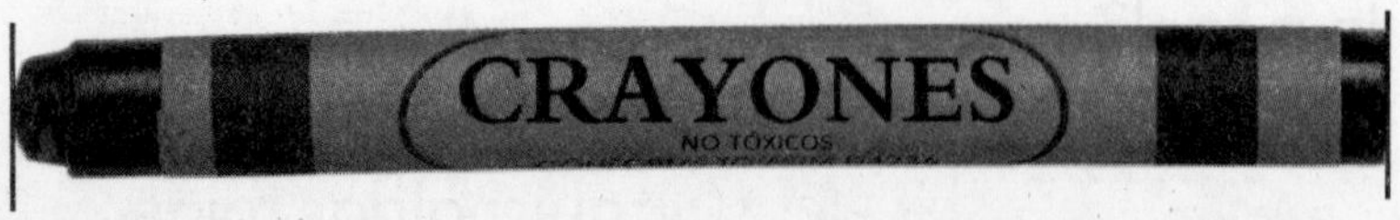
CRAYONES
NO TÓXICOS

© Houghton Mifflin Harcourt Publishing Company

TEKS Geometría y medición: 2.9.D

PROCESOS MATEMÁTICOS
2.1.C, 2.1.F

16.2

MANOS A
LA OBRA

Medir con una regla en pulgadas

 Pregunta esencial

¿De qué manera usas una regla en pulgadas para medir la longitud?

Explora *En el mundo*

La cuenta mide 1 pulgada de largo. Usa la cuenta para hallar la longitud de cada pedazo de cuerda. Haz un dibujo para mostrar lo que hiciste.

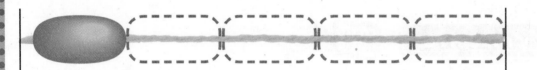

aproximadamente _____ pulgadas

aproximadamente _____ pulgadas

aproximadamente _____ pulgadas

Charla matemática

Procesos matemáticos

Describe de qué manera usaste la cuenta para hallar la longitud de cada pedazo de cuerda.

 PARA EL MAESTRO • Pida a los niños que miren el dibujo y que predigan cuántas cuentas irán en cada pedazo de cuerda. Luego, pídales que, sin medir, estimen la longitud de cada pedazo de cuerda.

Representa y dibuja

¿Cuál es la longitud de la cuerda a la pulgada más cercana?

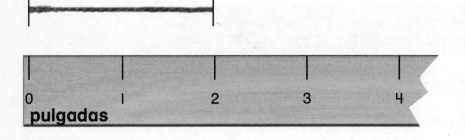

_____ pulgadas

Paso 1

Alinea el extremo de la cuerda con la marca de cero de la regla.

Paso 2

Halla la marca de pulgada más cercana al otro extremo de la cuerda.

Comparte y muestra

MATH BOARD

Mide la longitud a la pulgada más cercana.

1.

_____ pulgadas

2.

_____ pulgadas

✔ 3.

_____ pulgadas

✔ 4.

_____ pulgadas

Nombre _____

Resolución de problemas

Mide la longitud a la pulgada más cercana.

5.

_____ pulgadas

6.

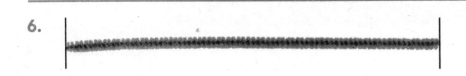

_____ pulgadas

7.

_____ pulgadas

Resuelve.

8. **H.O.T.** **Múltiples pasos**
¿Cuánto más larga que la cuerda azul es la cuerda roja?

Matemáticas al instante

_____ pulgadas más larga

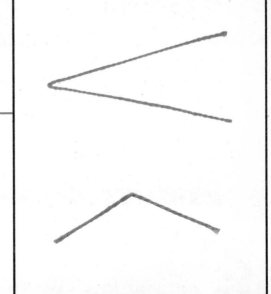

9. **H.O.T.** Si extendieras las cuerdas roja y azul, y las pusieras una a continuación de la otra, ¿cuál sería la longitud total?

_____ pulgadas

© Houghton Mifflin Harcourt Publishing Company • Image Credits:

Módulo 16 • Lección 2

quinientos cincuenta y tres **553**

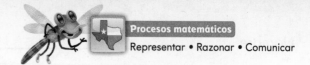

Procesos matemáticos
Representar • Razonar • Comunicar

Elige la respuesta correcta.

10. **Usa herramientas de medición** Usa una regla en pulgadas. ¿Cuál es la longitud de la cinta a la pulgada más cercana?

○ 5 pulgadas

○ 2 pulgadas

○ 4 pulgadas

11. **Aplica** Usa una regla en pulgadas. ¿Cuál es la longitud del clip a la pulgada más cercana?

○ 4 pulgadas

○ 1 pulgada

○ 2 pulgadas

12. ⭐ **Preparación para la prueba de TEXAS** Usa una regla en pulgadas. ¿Cuál es la longitud del lápiz a la pulgada más cercana?

○ 1 pulgada

○ 4 pulgadas

○ 3 pulgadas

ACTIVIDAD PARA LA CASA • Pida a su niño que mida la longitud de algunos objetos a la pulgada más cercana con una regla o una herramienta de medición similar.

MANOS A LA OBRA

Medir con una regla en pulgadas

TEKS Geometría y medición: 2.9.D
PROCESOS MATEMÁTICOS 2.1.C, 2.1.F

Mide la longitud a la pulgada más cercana.

1.

_____ pulgadas

2.

_____ pulgadas

3.

_____ pulgadas

Resolución de problemas

4. **Múltiples pasos** Mide la longitud a la pulgada más cercana.
¿Cuánto más corta que el estambre es la cinta?

_____ pulgada más corta

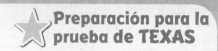
Elige la respuesta correcta.

I pulgada

5. Jack eligió un objeto que mide aproximadamente 2 pulgadas de largo. ¿Qué objeto eligió Jack?

○ bolígrafo   ○ cinta   ○ goma de borrar

6. Jane eligió un objeto que mide aproximadamente 3 pulgadas de largo. ¿Qué objeto eligió Jane?

○ bolígrafo   ○ cinta   ○ goma de borrar

7. Usa una regla en pulgadas. ¿Cuál es la longitud del marcador a la pulgada más cercana?

○ aproximadamente 5 pulgadas
○ aproximadamente 6 pulgadas
○ aproximadamente 3 pulgadas

Nombre _____

16.3
MANOS A LA OBRA

Medir en pulgadas y en pies

 Pregunta esencial

¿Por qué medir en pies es diferente de medir en pulgadas?

Explora En el mundo

Manos a la obra

Describe cómo hiciste cada medición
por escrito o con un dibujo.

1.ª medición

2.ª medición

Charla matemática

Procesos matemáticos

Describe en qué se diferencian la longitud de una hoja de papel y la longitud de un clip.

 PARA EL MAESTRO • Pida a los niños que formen parejas, que se paren a cierta distancia uno de otro y que midan la distancia que los separa con hojas de papel plegadas por la mitad a lo largo. Luego, pídales que midan la misma distancia con clips grandes.

Representa y dibuja

12 pulgadas es lo mismo que I **pie.**
Un regla de 12 pulgadas mide aproximadamente I pie de largo.
Puedes medir longitudes en pulgadas y también en pies.

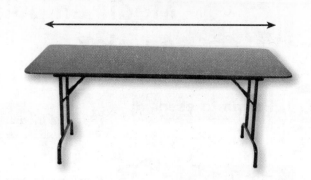

La mesa mide aproximadamente 60 pulgadas de largo. La mesa también mide aproximadamente 5 pies de largo.

Comparte y muestra

Mide a la pulgada más cercana.
Luego, mide al pie más cercano.

Busca el objeto real.	Mide.
pupitre 1.	_____ pulgadas _____ pies
ventana ☑ 2.	_____ pulgadas _____ pies
puerta CLASE DEL SR. MARTIN ☑ 3.	_____ pulgadas _____ pies

Nombre _____

Resolución de problemas

Mide a la pulgada más cercana.
Luego, mide al pie más cercano.

Busca el objeto real.	Mide.
4. **cartel** DIVERSIÓN BAJO EL SOL ↔	_____ pulgadas _____ pies
5. **tablero de anuncios** ↔	_____ pulgadas _____ pies

6. **H.O.T.** **Múltiples pasos** Estima la longitud de un estante real en pulgadas y en pies. Luego, mídelo.

Estimaciones: Medidas:

_____ pulgadas   _____ pulgadas

_____ pies   _____ pies

Matemáticas al instante

↔

7. **H.O.T.** Mira las medidas que tomaste del estante. ¿Por qué el número de pulgadas es diferente del número de pies? Muestra tus ideas por escrito.

_____

_____

_____

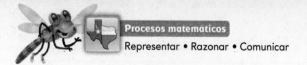
Elige la respuesta correcta.

8. **Evalúa si es razonable** Joey mide la longitud de su caja de lápices con una regla. ¿Cuál podría ser la longitud de su caja de lápices?

○ 10 pulgadas

○ 3 pies

○ 10 pies

9. Un cartel mide 24 pulgadas de largo. Si midieras el cartel en pies, ¿la longitud sería más que 24 pies o menos que 24 pies? Muestra tu explicación por escrito.

_____

_____

_____

_____

10. ⭐ **Preparación para la prueba de TEXAS** Stephen le está enseñando a usar una regla a su hermano. ¿Cuál de estas oraciones es verdadera?

○ 1 pulgada tiene la misma longitud que 1 pie.

○ 1 pie tiene una longitud mayor que 1 pulgada.

○ 1 pulgada tiene una longitud mayor que 1 pie.

ACTIVIDAD PARA LA CASA • Pida a su niño que mida una distancia en pulgadas y en pies, y que explique por qué las medidas son diferentes.

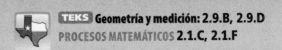
Tarea y práctica

Nombre _____

16.3 Medir en pulgadas y en pies

MANOS A LA OBRA

Mide la longitud a la pulgada más cercana.
Luego, mide al pie más cercano.

Busca el objeto real.	Mide.
1. **mesa**	_____ pulgadas _____ pies
2. **librero**	_____ pulgadas _____ pies

Resolución de problemas

3. **Múltiples pasos** Estima la longitud de
una puerta real en pulgadas y en pies.
Luego, mídela.

Estimaciones: Medidas:

_____ pulgadas   _____ pulgadas

_____ pies   _____ pies

Elige la respuesta correcta.

4. Ángela midió la longitud de una hoja de papel. Dice que el papel mide aproximadamente 11 pulgadas. ¿Cuál de estas longitudes es lo mismo que 11 pulgadas?

   ○ aproximadamente 1 pie

   ○ aproximadamente 1 pulgada

   ○ aproximadamente 12 pies

5. Josh midió la longitud de su caja de crayones con una regla. ¿Cuál podría ser la longitud de la caja de crayones?

   ○ 5 pies

   ○ 5 pulgadas

   ○ 1 pulgada

6. El Sr. Scott midió el ancho de la puerta del salón de clases con una regla. ¿Cuál podría ser el ancho de la puerta?

   ○ 34 pies

   ○ 1 pie

   ○ 34 pulgadas

7. Una mesa mide aproximadamente 60 pulgadas de largo. ¿Cuántos pies de largo mide la mesa? (12 pulgadas = 1 pie)

   ○ 1 pie

   ○ 2 pies

   ○ 5 pies

Nombre _____

16.4 Estimar longitudes para resolver problemas

? Pregunta esencial

¿Cómo puedes usar lo que sabes acerca de la longitud para resolver un problema de medición?

Explora (En el mundo)

Resuelve el problema con un dibujo o por escrito.

Ahora Ellen tiene _____ pulgadas de cinta.

Ahora la cinta de Carmen mide _____ pulgadas de largo.

PARA EL MAESTRO • Pida a los niños que resuelvan el siguiente problema en el espacio de trabajo de arriba: Ellen tenía una cinta azul de 13 pulgadas de largo. Consiguió una cinta verde de 8 pulgadas de largo. ¿Cuántas pulgadas de cinta tiene Ellen ahora? Luego, pida a los niños que resuelvan este problema en el espacio de trabajo de abajo: Carmen tenía una cinta roja de 24 pulgadas de largo. Cortó 9 pulgadas de la cinta. ¿Cuántas pulgadas de largo mide la cinta ahora?

Charla matemática
Procesos matemáticos

¿De qué manera decidiste resolver el segundo problema? **Explica** tu respuesta.

Módulo 16

María tiene estas dos flores.
La flor anaranjada mide 6 pulgadas de altura.
Aproximadamente, ¿cuánto mide la flor amarilla?
¿Cuál es la mejor **estimación**?

aproximadamente 3 pulgadas de altura

aproximadamente 12 pulgadas de altura

aproximadamente 6 pies de altura

Comparte y muestra

Encierra en un círculo la mejor estimación.

1. Eli armó un tren de cubos rojos de 2 pies de
   largo. También armó dos trenes de cubos azules.
   Mira la ilustración de sus trenes de cubos
   para estimar la longitud total de los 3 trenes.

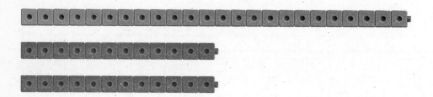

   aproximadamente
   4 pies de largo

   aproximadamente
   1 pie de largo

   aproximadamente
   3 pies de largo

2. Los clips de Delia miden 1 pulgada de largo cada
   uno. Aproximadamente, ¿cuánto mide el lápiz?

   aproximadamente 12 pulgadas de largo

   aproximadamente 5 pulgadas de largo

   aproximadamente 3 pulgadas de largo

Resolución de problemas

Encierra en un círculo la mejor opción.

3. Margie necesita 5 pedazos de cuerda de aproximadamente un pie de largo cada uno. ¿Qué longitud de cuerda será la más cercana a la cantidad que necesita?

25 pulgadas de cuerda

100 pulgadas de cuerda

70 pulgadas de cuerda

4. Louie hizo una guirnalda de papel que tiene aproximadamente la misma longitud que la distancia que hay entre el cielo raso y el piso. Aproximadamente, ¿cuánto mide de largo la guirnalda de papel de Louie?

aproximadamente 10 pies de largo

aproximadamente 10 pulgadas de largo

aproximadamente 2 pies de largo

5. **H.O.T.** **Múltiples pasos** Kim tiene un tren de juguete. Cada vagón del tren mide aproximadamente 6 pulgadas de largo. El tren de Kim tiene 8 vagones. Aproximadamente, ¿cuánto mide el tren en pies? Explica tu respuesta.

Matemáticas al instante

_____

_____

_____

6. **H.O.T.** Jasper piensa que su libro mide aproximadamente 1 pulgada de largo. Clark piensa que su libro mide aproximadamente 1 pie de largo. ¿Quién hizo la mejor estimación? Explica tu respuesta.

_____

_____

_____

Tarea diaria de evaluación

Elige la respuesta correcta.

7. **Razonamiento** Grayson tiene una flor blanca que mide 1 pie de largo. También tiene una flor rosada que mide aproximadamente la mitad de la longitud de la flor blanca. ¿Cuál es la mejor estimación para la longitud de la flor rosada?

○ aproximadamente 2 pies de largo

○ aproximadamente 5 pulgadas de largo

○ aproximadamente 10 pulgadas de largo

8. **Múltiples pasos** Cada sección de una acera mide 2 pies de largo. La cuerda de Billy tiene aproximadamente la misma longitud que tres secciones de la acera. ¿Cuál es la mejor estimación para la longitud de la cuerda de Billy?

○ aproximadamente 6 pulgadas de largo

○ aproximadamente 10 pies de largo

○ aproximadamente 70 pulgadas de largo

9. **Preparación para la prueba de TEXAS** Tony tiene dos lápices. El lápiz amarillo mide 8 pulgadas de largo. Aproximadamente, ¿cuánto mide el lápiz verde?

○ aproximadamente 7 pulgadas de largo

○ aproximadamente 4 pulgadas de largo

○ aproximadamente 1 pie de largo

ACTIVIDAD PARA LA CASA • Pida a su niño que explique cómo resolvió alguno de los problemas de esta lección.

Tarea y práctica

Nombre _____

16.4 Estimar longitudes para resolver problemas

Encierra en un círculo la mejor opción.

1. Gary armó un tren de cubos rojos de 1 pie de largo. También armó dos trenes de cubos azules. ¿Cuál de estas estimaciones muestra la longitud total de los trenes?

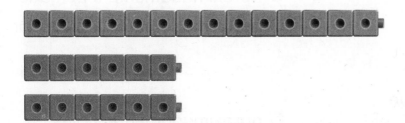

aproximadamente 4 pies

aproximadamente 1 pie

aproximadamente 2 pies

Resolución de problemas En el mundo

2. Gail necesita 3 pedazos de cuerda que midan aproximadamente un pie de largo cada uno. ¿Qué longitud de cuerda será la más cercana a la cantidad que necesita?

15 pulgadas de cuerda

75 pulgadas de cuerda

45 pulgadas de cuerda

3. **Múltiples pasos** Erin hizo una guirnalda de papel. Cada eslabón de la guirnalda mide aproximadamente 3 pulgadas de largo. Erin juntó 8 eslabones de papel. Aproximadamente, ¿cuántos pies de largo medirá la guirnalda de papel? Explica tu respuesta.

_____

_____

_____

© Houghton Mifflin Harcourt Publishing Company

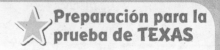
Elige la respuesta correcta.

4. Ethan tiene dos lápices. El lápiz azul mide 6 pulgadas de largo. Aproximadamente, ¿cuánto mide de largo el lápiz rojo?

○ aproximadamente 1 pie

○ aproximadamente 8 pulgadas

○ aproximadamente 2 pulgadas

5. Melinda tiene un girasol que mide 2 pies de altura. También tiene un lirio que mide aproximadamente la mitad de esa altura. ¿Cuál es la mejor estimación para la longitud del lirio?

○ aproximadamente 3 pies

○ aproximadamente 1 pie

○ aproximadamente 6 pulgadas

6. Múltiples pasos Daniela tenía una cinta verde con lunares de 30 pulgadas de largo. Usó 6 pulgadas de la cinta. ¿Cuál es la mejor estimación para la longitud de la cinta que le quedó?

○ aproximadamente 1 pie

○ aproximadamente 8 pulgadas

○ aproximadamente 2 pies

7. Stan tenía un pedazo de cuerda de 13 pulgadas de largo. Encontró otro pedazo de cuerda de 18 pulgadas de largo. Aproximadamente, ¿cuántos pies de cuerda tiene Stan ahora?

○ aproximadamente 3 pies

○ aproximadamente 1 pie

○ aproximadamente 4 pies

Nombre _____

16.5
MANOS A LA OBRA
Elegir una herramienta de medición

 ? **Pregunta esencial**

¿Cómo eliges una herramienta de medición para medir la longitud?

 Explora **En el mundo**

Manos a la obra

Describe cómo mediste las distancias con el estambre por escrito o con un dibujo.

> Distancia I

> Distancia 2

 PARA EL MAESTRO • Pida a cada grupo pequeño que use un pedazo de estambre de 1 yarda para medir una distancia marcada en el piso con cinta adhesiva de papel. Pida a los grupos que repitan la actividad y que midan otra distancia diferente.

Charla matemática
Procesos matemáticos
¿Qué distancia era más larga? **Explica** cómo lo sabes.

Representa y dibuja

Estas son herramientas que sirven para medir longitudes y distancias.

regla en pulgadas

Con una regla en pulgadas se pueden medir longitudes cortas.

regla de 1 yarda

Una **regla de 1 yarda** muestra 3 pies. Se puede usar para medir longitudes y distancias mayores.

cinta para medir

Con una **cinta para medir** se pueden medir longitudes y distancias que no son planas o rectas.

Comparte y muestra

Elige la mejor herramienta para medir el objeto real. Luego, mide la longitud o la distancia y anótala.

regla en pulgadas
regla de 1 yarda
cinta para medir

1. la longitud de un libro

Herramienta: _____

Longitud: _____

2. la distancia alrededor de un vaso

Herramienta: _____

Distancia: _____

3. la longitud de un pizarrón

Herramienta: _____

Longitud: _____

Nombre _____

Resolución de problemas

| regla en pulgadas |
| regla de I yarda |
| cinta para medir |

Elige la mejor herramienta para medir el objeto real. Luego, mide la longitud o la distancia y anótala.

4. la longitud de un marcador

Herramienta: _____

Longitud: _____

5. la distancia alrededor de un globo terráqueo

Herramienta: _____

Distancia: _____

6. **H.O.T.** Rachel quiere medir la longitud de una acera. ¿Debe usar una regla en pulgadas o una regla de I yarda? Explica tu respuesta.

Matemáticas al instante

Rachel debe usar _____

porque _____

_____

7. **H.O.T.** **Múltiples pasos** ¿Qué objeto medirías con una cinta para medir? Explica por qué usarías esa herramienta.

_____

_____

_____

© Houghton Mifflin Harcourt Publishing Company • Image Credits: (b) ©D. Hurst/Alamy

Módulo 16 • Lección 5

quinientos setenta y uno **571**

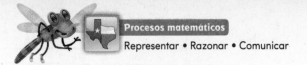

Elige la respuesta correcta.

8. **Razonamiento** Tammy quiere medir un clip de 2 pulgadas de largo. ¿Cuál es la mejor herramienta de medición que puede usar?

   ○ una regla en pulgadas

   ○ una regla de 1 yarda

   ○ un pedazo de cuerda

9. **Conecta** Alex quiere medir el contorno de una pelota de playa. ¿Cuál es la mejor herramienta de medición que puede usar?

   ○ una regla en pulgadas

   ○ una regla de 1 yarda

   ○ una cinta para medir

10. Brian quiere medir la cerca que rodea el parque. ¿Cuál es la mejor herramienta de medición que puede usar?

    ○ una regla de 1 yarda

    ○ una regla en pulgadas

    ○ una ficha cuadrada de color

11. ⭐ **Preparación para la prueba de TEXAS** Jim quiere medir algunos libros para hallar un libro que mida 9 pulgadas de largo. ¿Cuál es la mejor herramienta de medición que puede usar?

    ○ un vaso

    ○ un estambre

    ○ una regla en pulgadas

ACTIVIDAD PARA LA CASA • Pida a su niño que nombre algunos objetos que mediría con una regla de 1 yarda.

Tarea y práctica

Nombre _____

16.5
MANOS A LA OBRA

Elegir una herramienta de medición

regla en pulgadas
regla de I yarda
cinta para medir

Elige la mejor herramienta para medir el objeto real. Luego, mide la longitud o la distancia y anótala.

1. la longitud de un carro de juguete

Herramienta: _____

Longitud: _____

_____

2. la longitud de una mesa

Herramienta: _____

Longitud: _____

Resolución de problemas

3. **Múltiples pasos** Fran quiere medir el contorno de una pelota de playa. ¿Debe usar una regla en pulgadas o una cinta para medir? Explica tu respuesta.

Fran debe usar una _____ porque _____

_____

_____

© Houghton Mifflin Harcourt Publishing Company • Image Credits: (tc) © George Diebold/Getty Images; (b) ©Brand X Pictures/Getty Images

Repaso de la lección

Preparación para la prueba de TEXAS

Elige la respuesta correcta.

4. Dani quiere medir algunas cuerdas para hallar un pedazo que mida 8 pulgadas de largo. ¿Cuál es la mejor herramienta de medición que puede usar?

   ○ un vaso

   ○ una regla en pulgadas

   ○ un estambre

5. Alicia quiere medir la altura de sus plantas de tomate. ¿Cuál es la mejor herramienta de medición que puede usar?

   ○ un estambre

   ○ una regla en pulgadas

   ○ una ficha cuadrada de color

6. Tim quiere medir el contorno de una pelota de fútbol. ¿Cuál es la mejor herramienta de medición que puede usar?

   ○ una regla de 1 yarda

   ○ una regla en pulgadas

   ○ una cinta para medir

7. Ruby quiere comprar tela para hacer unas cortinas. Quiere que la tela tenga un ancho de 24 pulgadas. ¿Cuál es la mejor herramienta de medición que Ruby puede usar para medir el ancho?

   ○ una regla de 1 yarda

   ○ una ficha cuadrada de color

   ○ un vaso

Evaluación del Módulo 16

Vocabulario

Completa las oraciones con las palabras del recuadro.

1. Un_____ es la misma longitud
   que 12 pulgadas. (pág. 558)

2. Una_____ es más corta que
   un pie. (pág. 546)

pie
pulgada
regla de 1 yarda

Conceptos y destrezas

3. Usa fichas cuadradas de colores. Mide
   la longitud del objeto en pulgadas. ⬦ TEKS 2.9.A

   aproximadamente _____ pulgadas

4. Usa una regla. Mide a la pulgada más cercana.
   Luego, mide al pie más cercano. ⬦ TEKS 2.9.D

Busca el objeto real.	Mide.
pupitre ↔	_____ pulgadas _____ pies

Rellena el círculo de la respuesta correcta.

5. Bert estima la longitud de un tablero de anuncios real. ¿Cuál es la mejor estimación? ⬇ TEKS 2.9.E

 ○ 3 pulgadas

 ○ 30 pulgadas

 ○ 12 pulgadas

---

6. Jennie quiere medir la longitud de su bolígrafo en pulgadas. ¿Cuál es la mejor herramienta de medición que puede usar? ⬇ TEKS 2.9.D

 ○ una regla de 1 yarda

 ○ una regla en pulgadas

 ○ un pedazo de cuerda

---

7. Usa una regla en pulgadas. ¿Cuál es la longitud del crayón a la pulgada más cercana? ⬇ TEKS 2.9.D

 ○ 4 pulgadas

 ○ 1 pulgada

 ○ 3 pulgadas

---

8. Jan mide una mesa a la pulgada más cercana y luego al pie más cercano. ¿Cuál de estas oraciones sobre la medida de la mesa es verdadera? ⬇ TEKS 2.9.B

 ○ El número de pies es menor que el número de pulgadas.

 ○ El número de pies es el mismo que el número de pulgadas.

 ○ El número de pies es mayor que el número de pulgadas.

 **TEKS** Geometría y medición: 2.9.D
PROCESOS MATEMÁTICOS
2.1.A, 2.1.C

17.1
MANOS A LA OBRA

Medir con una regla en centímetros

? Pregunta esencial

¿De qué manera puedes medir longitudes con una regla en centímetros?

Explora *En el mundo*

Manos a la obra

Mide la longitud con .

_____ cubos de una unidad

_____ cubos de una unidad

_____ cubos de una unidad

Charla matemática

Procesos matemáticos

Describe de qué manera puede medirse la longitud de un objeto con cubos de una unidad.

 PARA EL MAESTRO • Dé cubos de una unidad a los niños. Recuérdeles que, cuando midan un objeto con cubos, deben alinear los cubos de manera que no queden espacios entre ellos.

¿Cuál es la longitud del crayón al **centímetro** más cercano?

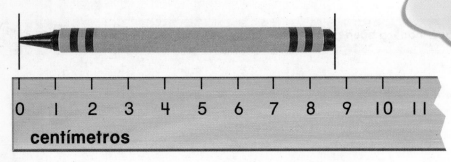

> Alinea el extremo izquierdo del objeto con la marca de cero de la regla.

_____ centímetros

Comparte y muestra

Mide la longitud al centímetro más cercano.

1.

_____ centímetros

2.

_____ centímetros

3.

_____ centímetros

Nombre _____

Mide la longitud al centímetro más cercano.

4.

_____ centímetros

5.

_____ centímetros

6. **H.O.T.** **Múltiples pasos** El crayón estaba sobre la mesa, al lado de la regla en centímetros. El extremo izquierdo del crayón no estaba alineado con la marca de cero de la regla.

Matemáticas al instante

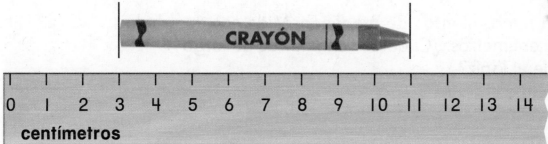

¿Cuál es la longitud del crayón?
Explica cómo hallaste tu respuesta.

_____

_____

_____

7. **H.O.T.** Un marcador mide 13 centímetros de largo. ¿Entre qué dos marcas de centímetros de la regla termina esta longitud?

_____

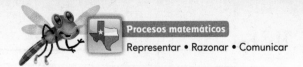
Elige la respuesta correcta.

8. **Usa herramientas de medición** Mide con una regla en centímetros. ¿Cuántos centímetros de largo mide el marcador?

○ 10 centímetros

○ 13 centímetros

○ 11 centímetros

9. **Usa herramientas de medición** Mide con una regla en centímetros. ¿Cuántos centímetros de largo mide el lápiz?

○ 9 centímetros

○ 12 centímetros

○ 10 centímetros

10. ⭐ **Preparación para la prueba de TEXAS** Usa una regla en centímetros. ¿Cuál describe mejor la longitud de esta cuerda?

○ 1 centímetro

○ 7 centímetros

○ 4 centímetros

ACTIVIDAD PARA LA CASA • Pida a su niño que mida la longitud de algunos objetos con una regla en centímetros.

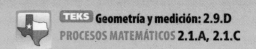
Tarea
y práctica

Nombre _____

17.1
MANOS A LA OBRA

Medir con una regla en centímetros

Mide la longitud al centímetro más cercano.

1.

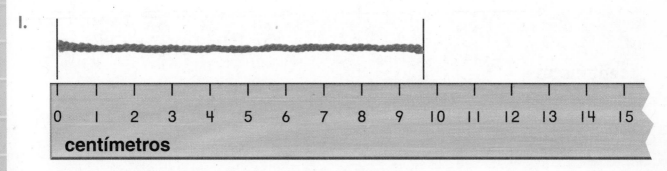

_____ centímetros

Resolución de problemas

2. **Múltiples pasos** Había un lápiz sobre la mesa, al lado de una regla en centímetros. El extremo izquierdo del lápiz no estaba alineado con la marca de cero de la regla.

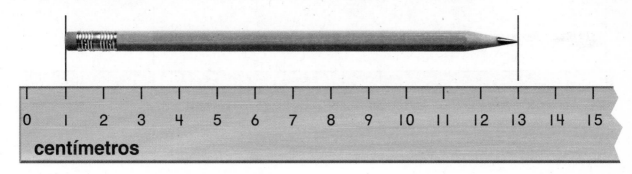

¿Cuál es la longitud del lápiz?
Explica cómo hallaste tu respuesta.

_____

_____

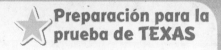
Elige la respuesta correcta.

3. ¿Cuántos centímetros de largo mide la cuerda?

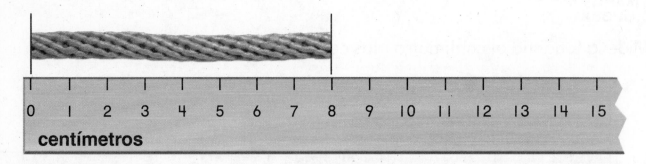

○ 1 centímetro

○ 8 centímetros

○ 3 centímetros

---

4. Melanie tiene el pincel que se muestra. ¿Cuántos centímetros de largo mide su pincel?

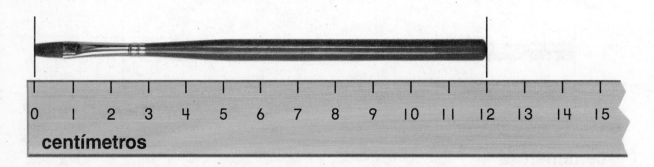

○ 18 centímetros

○ 5 centímetros

○ 12 centímetros

Nombre _____

TEKS Geometría y medición: 2.9.C

PROCESOS MATEMÁTICOS
2.1.A, 2.1.B, 2.1.E, 2.1.G

17.2 RESOLUCIÓN DE PROBLEMAS
• Sumar y restar longitudes

? Pregunta esencial

¿De qué manera hacer un diagrama sirve para resolver problemas de longitud?

🔑 Soluciona el problema (En el mundo)

Nate tenía 23 centímetros de cuerda.
Le dio 9 centímetros de cuerda a Myra.
¿Cuánta cuerda tiene Nate ahora?

Lee	Planea
¿Qué información tengo?	**¿Cuál es mi plan o estrategia?**
Nate tenía _____ centímetros de cuerda.	Puedo _____ para mostrar el problema.
Le dio _____ centímetros de cuerda a Myra.	

Resuelve

Muestra tu manera de resolver el problema.

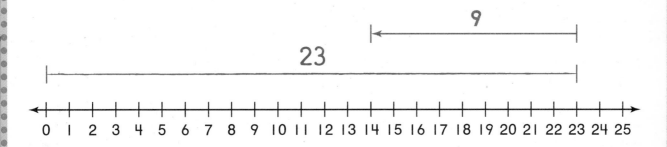

Ahora Nate tiene _____ centímetros de cuerda.

CONEXIÓN CON LA CASA • Su niño hizo un diagrama para representar un problema de longitud. El diagrama sirve para elegir la operación que se necesita para resolver el problema.

© Houghton Mifflin Harcourt Publishing Company

Módulo 17

quinientos ochenta y tres **583**

Haz otro problema

Haz un diagrama. Luego, resuelve.

- ¿Qué información tengo?
- ¿Cuál es mi plan o estrategia?

1. Ellie tiene una cinta que mide 12 centímetros de largo. Gwen tiene una cinta que mide 9 centímetros de largo. ¿Cuántos centímetros de cinta tienen?

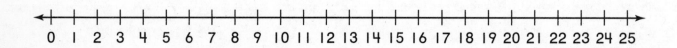

Tienen _____ centímetros de cinta.

2. Una tira de papel medía 24 centímetros de largo. Justin cortó 8 centímetros de la tira. ¿Cuánto mide la tira de papel ahora?

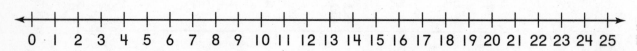

Ahora la tira de papel mide

_____ centímetros de largo.

Charla matemática

Procesos matemáticos

¿Es razonable tu respuesta para el primer problema? **Explica** por qué.

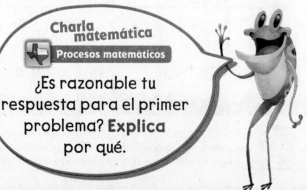

© Houghton Mifflin Harcourt Publishing Company

Nombre _____

Haz un diagrama. Luego, resuelve.

3. Una cadena de clips medía 18 centímetros de largo. Sandra añadió 6 centímetros de clips a la cadena. ¿Cuánto mide la cadena ahora?

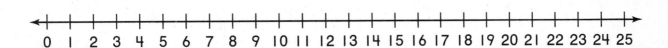

Ahora la cadena mide _____ centímetros de largo.

Resolución de problemas

4. **H.O.T.** **Múltiples pasos** Había una marca de tiza que medía 22 centímetros de largo. Greg borró una parte de la marca. Ahora la marca mide 5 centímetros de largo. ¿Cuántos centímetros de la marca borró Greg?

Matemáticas al instante

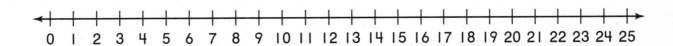

Greg borró _____ centímetros de la marca.

5. **H.O.T.** Comienza en el punto de la recta numérica. Haz un diagrama para representar una longitud de 12 centímetros.

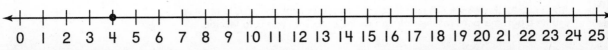

Haz un diagrama y resuelve.

6. Usa diagramas Elsa tenía un pedazo de estambre que medía 25 centímetros de largo. Usó 8 centímetros para hacer un proyecto. ¿Cuántos centímetros de estambre tiene ahora?

• ¿Qué información tengo?
• ¿Cuál es mi plan o estrategia?

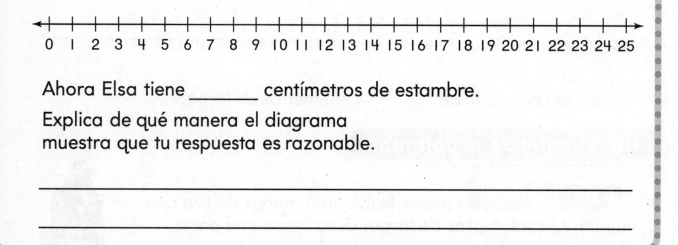

Ahora Elsa tiene _____ centímetros de estambre.

Explica de qué manera el diagrama muestra que tu respuesta es razonable.

_____

_____

7. ⭐ **Preparación para la prueba de TEXAS** Ámbar midió una cinta azul en centímetros. Hizo este diagrama para mostrar la longitud de la cinta. ¿Cuántos centímetros de largo mide su cinta?

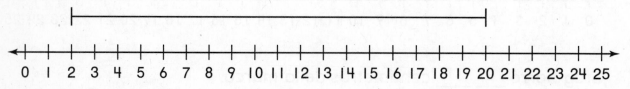

○ 20 centímetros

○ 18 centímetros

○ 22 centímetros

ACTIVIDAD PARA LA CASA • Pida a su niño que explique de qué manera usó un diagrama para resolver alguno de los problemas de esta lección.

Nombre _____

17.2 RESOLUCIÓN DE PROBLEMAS
• Sumar y restar longitudes

Haz un diagrama. Luego, resuelve.

1. Mary Beth tiene una cinta que mide 15 centímetros de largo. Alicia tiene una cinta que mide 9 centímetros de largo. ¿Cuántos centímetros de cinta tienen?

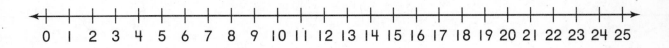

0 1 2 3 4 5 6 7 8 9 10 11 12 13 14 15 16 17 18 19 20 21 22 23 24 25

Tienen _____ centímetros de cinta.

Resolución de problemas En el mundo

2. **Múltiples pasos** Una cuerda medía 21 centímetros de largo. Sue cortó un pedazo. Ahora la cuerda mide solo 8 centímetros de largo. ¿Cuántos centímetros de cuerda cortó Sue?

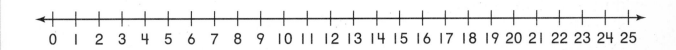

0 1 2 3 4 5 6 7 8 9 10 11 12 13 14 15 16 17 18 19 20 21 22 23 24 25

Sue cortó _____ centímetros de cuerda.

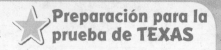
Elige la respuesta correcta.

3. Faith midió una cinta en centímetros. Hizo este diagrama para mostrar la longitud de la cinta. ¿Cuántos centímetros de largo mide su cinta?

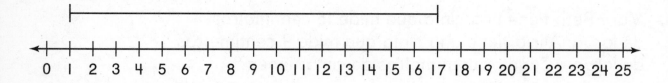

○ 19 centímetros   ○ 16 centímetros   ○ 17 centímetros

4. Jim hizo un diagrama para mostrar la longitud de sus dos guirnaldas. ¿Cuántos centímetros de guirnalda tiene Jim?

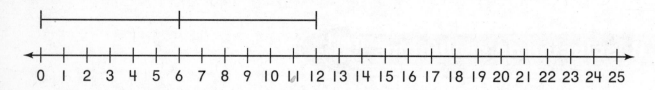

○ 12 centímetros   ○ 8 centímetros   ○ 10 centímetros

5. Múltiples pasos Jan tenía un pedazo de estambre que medía 24 centímetros de largo. Usó 6 centímetros para un proyecto y 9 centímetros para otro proyecto. ¿Cuántos centímetros de estambre le quedaron?

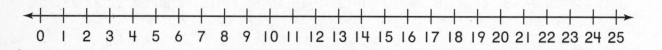

○ 9 centímetros   ○ 19 centímetros   ○ 15 centímetros

Nombre _____

MANOS A LA OBRA

Centímetros y metros

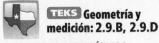
? Pregunta esencial

¿En qué se diferencia medir en metros de medir en centímetros?

Explora *En el mundo*

Manos a la obra

Describe cómo hiciste cada medición por escrito o con un dibujo.

I.ª medición

2.ª medición

Charla matemática
Procesos matemáticos
Describe en qué se diferencian la longitud del pedazo de estambre y la longitud de la hoja de papel.

PARA EL MAESTRO • Pida a cada grupo pequeño que use un pedazo de estambre de 1 metro para medir una distancia marcada en el piso con cinta adhesiva de papel. Luego, pídales que midan la misma distancia con una hoja de papel plegada por la mitad a lo largo.

Módulo I7

Representa y dibuja

I **metro** es lo mismo que 100 centímetros.

La puerta real tiene una altura de
aproximadamente 200 centímetros.
La puerta real también tiene una altura de
aproximadamente 2 metros.

Comparte y muestra

Mide al centímetro más cercano.
Luego, mide al metro más cercano.

Busca el objeto real.	Mide.
silla	_____ centímetros _____ metros
1.	
librero	_____ centímetros _____ metros
2.	
pared	_____ centímetros _____ metros
3.	

Resolución de problemas

Mide al centímetro más cercano.
Luego, mide al metro más cercano.

Busca el objeto real.	Mide.
pizarrón 4.	_____ centímetros _____ metros

5. **H.O.T.** **Múltiples pasos** El Sr. Ryan caminó por el costado de un establo. Quiere medir la longitud del establo. La longitud, ¿será un número mayor en centímetros o un número mayor en metros? Explica tu respuesta.

Matemáticas al instante

_____

_____

_____

6. **H.O.T.** Escribe estas longitudes en orden, desde la más corta hasta la más larga.

> 200 centímetros
> 10 metros
> 1 metro

_____

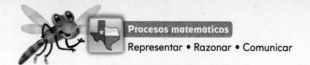

Tarea diaria de evaluación

Procesos matemáticos
Representar • Razonar • Comunicar

Elige la respuesta correcta.

7. **Aplica** Adam tiene un conejo. ¿Cuál describe mejor la longitud de su conejo?

- ○ 5 centímetros
- ○ 4 metros
- ○ 35 centímetros

8. **Analiza** Mira las longitudes de abajo. ¿Cuál es la longitud más corta?

- ○ 60 centímetros
- ○ 6 metros
- ○ 6 centímetros

9. **Preparación para la prueba de TEXAS** Mide con una regla en centímetros.

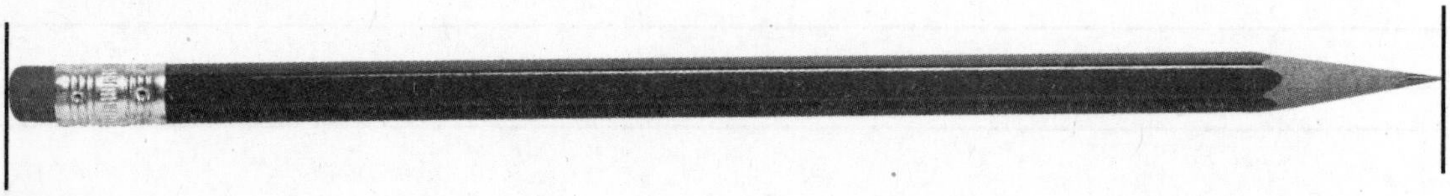

¿Cuál describe mejor la longitud del lápiz?

- ○ 20 centímetros
- ○ 25 centímetros
- ○ 15 centímetros

ACTIVIDAD PARA LA CASA • Pida a su niño que describa en qué se diferencian los centímetros y los metros.

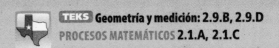

Tarea y práctica

Nombre _____

17.3
MANOS A LA OBRA

Centímetros y metros

Escribe la longitud de la guirnalda de papel al centímetro más cercano.

I.

_____ centímetros

Resolución de problemas [En el mundo]

2. **Múltiples pasos** El Sr. Rojas quiere medir la longitud de su casa. La longitud, ¿será un número mayor en centímetros o un número mayor en metros? Explica tu respuesta.

_____

_____

_____

Elige la respuesta correcta.

3. ¿Cuál de estas opciones describe mejor la longitud del marcador?

- ○ 13 metros
- ○ 13 centímetros
- ○ 3 centímetros

4. Darlene vio una rana toro en una laguna. ¿Cuál de estas opciones describe mejor la longitud de la rana?

- ○ 80 centímetros
- ○ 8 metros
- ○ 8 centímetros

5. Cory tiene un hámster. ¿Cuál de estas opciones describe mejor la longitud del hámster?

- ○ 15 centímetros
- ○ 5 metros
- ○ 45 centímetros

6. Kate visitó un museo. Estuvo de pie junto a un modelo de tamaño real de una jirafa. ¿Cuál de estas opciones describe mejor la altura de la jirafa?

- ○ 6 metros
- ○ 60 centímetros
- ○ 6 centímetros

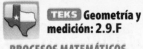

TEKS Geometría y medición: 2.9.F

PROCESOS MATEMÁTICOS
2.1.C, 2.1.E

17.4

MANOS A LA OBRA

Dividir rectángulos

? **Pregunta esencial**

¿De qué manera puedes hallar el número total de cuadrados del mismo tamaño que cubrirán un rectángulo?

Explora

Pon varias fichas cuadradas de colores juntas. Traza el contorno para dibujar una figura de dos dimensiones.

Charla matemática

Procesos matemáticos

¿Puede formarse alguna otra figura con el mismo número de fichas? **Explica** tu respuesta.

CONEXIÓN CON LA CASA • Su niño puso algunas fichas cuadradas juntas y luego trazó el contorno para dibujar una figura de dos dimensiones. Esta actividad es una introducción a la división de rectángulos en varios cuadrados del mismo tamaño.

Representa y dibuja

Traza el contorno de las fichas cuadradas de colores. ¿Cuántas **unidades cuadradas** cubren este rectángulo?

Cada ficha de color es 1 unidad cuadrada.

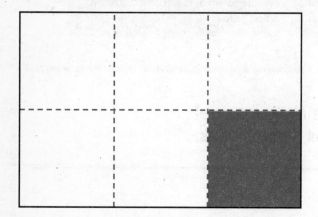

Número de hileras: __2__

Número de columnas: __3__

Total: _____ unidades cuadradas

Comparte y muestra

Cubre el rectángulo con fichas cuadradas de colores. Traza el contorno de las fichas. Escribe cuántas hay.

1.

Número de hileras: _____

Número de columnas: _____

Total: _____ unidades cuadradas

2.

Número de hileras: _____

Número de columnas: _____

Total: _____ unidades cuadradas

Resolución de problemas

Cubre el rectángulo con fichas cuadradas de colores.
Traza el contorno de las fichas. Escribe cuántas hay.

3.

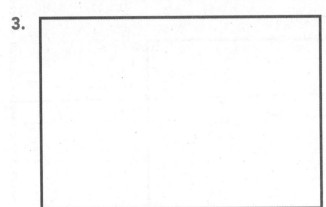

Número de hileras: _____

Número de columnas: _____

Total: _____ unidades cuadradas

4. **H.O.T.** **Múltiples pasos** Mary comenzó a cubrir este rectángulo con bloques de unidades. **Explica** de qué manera estimarías el número de bloques de unidades que se necesitan para cubrir el rectángulo entero.

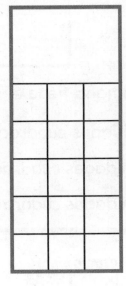

Matemáticas al instante

_____

_____

_____

_____

5. **H.O.T.** Reggie dibujó la figura de la derecha. ¿Cuántas fichas cuadradas de colores cubrirían la figura?

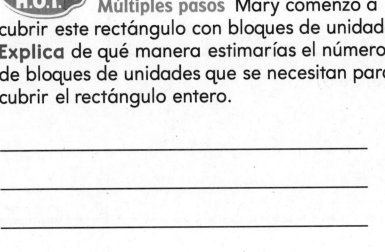

_____ fichas cuadradas de colores

Tarea diaria de evaluación

Elige la respuesta correcta.

6. Cubre el rectángulo con fichas cuadradas de colores. Traza el contorno de las fichas.

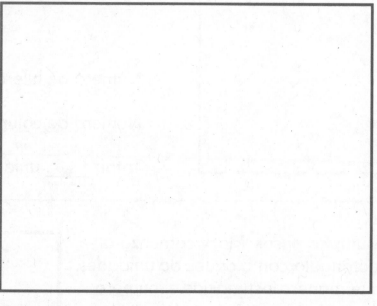

¿Qué tamaño tiene el rectángulo?

○ 7 unidades cuadradas

○ 12 unidades cuadradas

○ 10 unidades cuadradas

7. ⭐ **Preparación para la prueba de TEXAS** Un rectángulo está cubierto con fichas cuadradas de colores. Hay 4 hileras de 2 fichas. ¿Cuántas fichas cubren la figura?

○ 6

○ 8

○ 4

ACTIVIDAD PARA LA CASA • Pida a su niño que describa lo que hizo en esta lección.

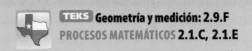

TEKS **Geometría y medición: 2.9.F**
PROCESOS MATEMÁTICOS **2.1.C, 2.1.E**

Tarea y práctica

Nombre _____

17.4 Dividir rectángulos

MANOS A LA OBRA

Colorea las fichas cuadradas. Escribe cuántas hay.

1.

Número de hileras: _____

Número de columnas: _____

Total: _____ unidades cuadradas

2.

Número de hileras: _____

Número de columnas: _____

Total: _____ unidades cuadradas

Resolución de problemas

3. **Múltiples pasos** Brenda comenzó a cubrir este rectángulo con fichas cuadradas. Explica de qué manera estimarías el número de fichas cuadradas que se necesitan para cubrir el rectángulo entero.

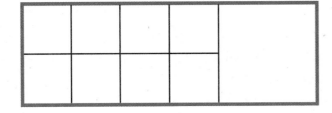

_____

_____

Elige la respuesta correcta.

4. Un rectángulo está cubierto con fichas cuadradas de colores. Hay 5 hileras y 2 columnas. ¿Cuántas fichas cuadradas de colores cubren la figura?

   ○ 12

   ○ 10

   ○ 8

5. Sally hizo un rectángulo con fichas cuadradas de colores. Formó 3 hileras y 6 columnas. ¿Cuántas fichas cuadradas de colores usó Sally?

   ○ 16

   ○ 15

   ○ 18

6. Emily cubrió un rectángulo con fichas cuadradas. Formó 4 columnas y 4 hileras. ¿Qué tamaño tiene el rectángulo?

   ○ 16 unidades cuadradas

   ○ 12 unidades cuadradas

   ○ 20 unidades cuadradas

7. **Múltiples pasos** Frank tiene 9 fichas cuadradas de colores. Quiere hacer un rectángulo con 5 hileras y 3 columnas de fichas. ¿Cuántas fichas cuadradas de colores más necesita?

   ○ 6   ○ 3   ○ 7

Evaluación del Módulo 17

Conceptos y destrezas

Cubre el rectángulo con fichas cuadradas de colores.
Traza el contorno de las fichas. Escribe cuántas hay. ➤ TEKS 2.9.F

1.

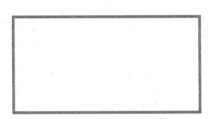

Número de hileras: _____

Número de columnas: _____

Total: _____ unidades cuadradas

Mide la longitud al centímetro más cercano. ➤ TEKS 2.9.D

2.

_____ centímetros

Mide el objeto real al centímetro más cercano.
Luego, mídelo al metro más cercano. ➤ TEKS 2.9.B, 2.9.D

3. tablero de anuncios

_____ centímetros

_____ metros

Rellena el círculo de la respuesta correcta.

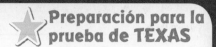

4. Usa una regla en centímetros. ¿Cuál describe mejor la longitud del lápiz? TEKS 2.9.D

- ○ 8 centímetros
- ○ 10 centímetros
- ○ 5 centímetros

5. Usa una regla en centímetros. ¿Cuál describe mejor la longitud del palillo de dientes? TEKS 2.9.D

- ○ 10 centímetros
- ○ 5 centímetros
- ○ 7 centímetros

6. Joshua midió una cuerda en centímetros. Hizo el diagrama de abajo para mostrar la longitud de la cuerda. ¿Cuántos centímetros de largo mide su cuerda? TEKS 2.9.C

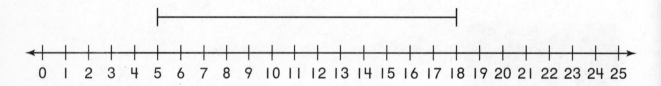

- ○ 13 centímetros
- ○ 18 centímetros
- ○ 5 centímetros

Nombre ____________________________________

TEKS Geometría y medición: 2.9.G
PROCESOS MATEMÁTICOS 2.1.E, 2.1.C

18.1 La hora en intervalos de 15 minutos

Pregunta esencial ¿De qué manera dices la hora en intervalos de 15 minutos?

Explora *En el mundo*

Dibuja el horario para mostrar cada hora.

Charla matemática
Procesos matemáticos
Describe hacia dónde debe señalar el horario para mostrar las 4:00 y media.

PARA EL MAESTRO • Diga horas exactas y medias horas. Comience con las 3:00. Pida a los niños que dibujen el horario para mostrar la hora. Repita la actividad con las 5:00 y media, las 11:00, y las 8:00 y media.

© Houghton Mifflin Harcourt Publishing Company

Al minutero le toma 5 **minutos** moverse de un número al siguiente en la esfera de un reloj.

Las manecillas de estos relojes muestran las 4:15 y las 4:30. Esas horas se muestran en los relojes digitales.

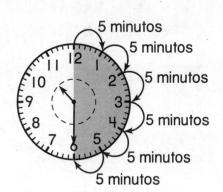

El 30 te indica que pasaron 30 minutos de la hora en punto.

MATH BOARD

Mira las manecillas de los relojes. Escribe la hora.

I.

1.00

☑2.

8.30

☑3.

4.45

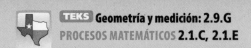
TEKS Geometría y medición: 2.9.G
PROCESOS MATEMÁTICOS 2.1.C, 2.1.E

Nombre _____

18.1 La hora en intervalos de 15 minutos

Mira las manecillas del reloj. Escribe la hora.

1.

2.

3.

Resolución de problemas En el mundo

4. **Múltiples pasos** Sam sale de su casa para ir a la escuela cuando el horario señala un punto que está justo entre el 8 y el 9, y el minutero señala el 6. ¿A qué hora sale de su casa Sam? Muestra esa hora en ambos relojes.

¿Cómo sabes qué hora debes escribir en el reloj digital? Explica tu respuesta.

_____

_____

_____

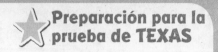
Elige la respuesta correcta.

5. La clase de piano de Madeline comienza a las 4:30. ¿Cuál de estos relojes muestra esa hora?

○    ○    ○

6. Jim ayudará a su hermano a hacer la cama a las 7:30. ¿Cuál de estos relojes muestra esa hora?

○    ○    ○

7. La práctica de natación de Ana comienza después de la escuela, a las 3:45. ¿Cuál de estos relojes muestra esa hora?

○    ○    ○

8. Ricardo cenará a las 6:15. ¿Cuál de estos relojes muestra esa hora?

○    ○    ○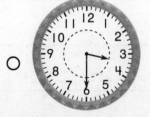

Resolución de problemas

Mira la hora. Dibuja el minutero para mostrar la misma hora.

7.

8.

9.

Dibuja las manecillas del reloj para mostrar la hora. Luego, escribe la hora.

10. **H.O.T.** **Múltiples pasos** Mi horario señala un punto entre el 8 y el 9. En 35 minutos, será la próxima hora exacta. ¿Qué hora es?

Matemáticas al instante

---

11. **H.O.T.** El Sr. Brady arregla computadoras. Mira la hora a la que comenzó a trabajar en una computadora y la hora a la que terminó. ¿Cuántos minutos trabajó el Sr. Brady en la computadora?

Comenzó.

Terminó.

_____ minutos

Elige la respuesta correcta.

12. **Representaciones** Javier mira el reloj. Ve que es la hora de su clase de música. ¿Cuál de estos relojes digitales muestra la misma hora que el reloj de la derecha?

○  2:55

○  11:10

○  12:05

13. Nora comenzó a estudiar a la hora que se muestra en este reloj digital. ¿Cuál de los relojes muestra la misma hora?

 7:50

○    ○    ○

14. ⭐ **Preparación para la prueba de TEXAS** ¿Qué hora se muestra en este reloj?

○ 1:45

○ 12:45

○ 9:05

 ACTIVIDAD PARA LA CASA • Pida a su niño que dibuje una esfera grande de reloj y que use dos lápices como si fueran las manecillas para mostrar diferentes horas.

La hora en intervalos de un minuto

 **TEKS** Geometría y medición: 2.9.G
PROCESOS MATEMÁTICOS
2.1.E, 2.1.C

? Pregunta esencial

¿De qué manera dices y muestras la hora en intervalos de un minuto?

Explora *En el mundo*

Escribe la hora en los relojes digitales.
Luego, rotula los relojes con los nombres de los niños.

_____

_____

_____

_____

Charla matemática

Procesos matemáticos

¿Hacia dónde señala el minutero para mostrar 15 minutos después de la hora? **Explica** tu respuesta.

PARA EL MAESTRO • Escriba *Luke, Beth, Kelly* y *Mike* en el pizarrón. Pida a los niños que escriban la hora de cada reloj analógico en el reloj digital que está al lado. Lea el problema y pida a los niños que escriban el nombre que corresponde para mostrar cuál de los niños hace una actividad a esa hora. Luke juega al fútbol americano a las 3:25. Beth almuerza a las 11:45. Kelly pone la mesa a las 6:30. Mike desayuna a las 8:15.

Representa y dibuja

Cada marca que hay alrededor del círculo de la esfera del reloj representa
1 minuto. Halla cuántos minutos pasaron de las 9:00 para decir la hora.

Primero, cuenta de cinco en cinco.

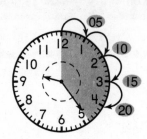

Luego, cuenta hacia adelante de uno en uno.

9:24

Comparte y muestra

MATH BOARD

Mira las manecillas del reloj. Escribe la hora.

1.

2.

3.

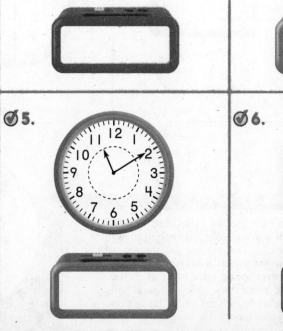

4.

⊘5.

⊘6.

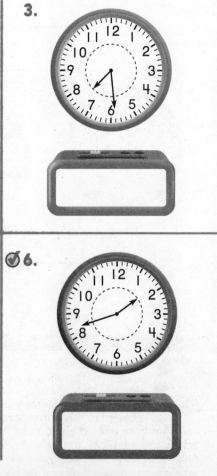

Nombre _____

Mira la hora. Dibuja las manecillas del reloj
para mostrar la misma hora.

7.

8.

9.

10. **H.O.T.** **Múltiples pasos** Mira los relojes para ver
cuándo Rachel comenzó cada actividad.

Comió un bocadillo.	Jugó con la pelota.	Leyó un libro.

Escribe la hora de las actividades en orden.

primera	segunda	tercera

11. **H.O.T.** Jamie comió un bocadillo
15 minutos antes de las 4:00. ¿A qué
hora comió el bocadillo?

Elige la respuesta correcta.

12. Aplica Este reloj muestra la hora a la que la Srta. Grant fue a trabajar a la biblioteca. ¿Cuál de estos relojes digitales muestra la misma hora que el reloj de la derecha?

○ 3:11   ○ 2:18   ○ 3:20

13. Representaciones Kyla comenzó a leer a la hora que se muestra en este reloj digital. ¿Cuál de los relojes muestra la misma hora?

12:34

○   ○   ○

14. ⭐ **Preparación para la prueba de TEXAS** ¿Qué hora se muestra en este reloj?

○ 12:30

○ 6:03

○ 6:30

ACTIVIDAD PARA LA CASA • Diga una hora que incluya un intervalo de un minuto. Pida a su niño que describa hacia dónde señalan las manecillas del reloj a esa hora.

TEKS Geometría y medición: 2.9.G
PROCESOS MATEMÁTICOS 2.1.E, 2.1.C
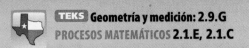

Nombre _____

18.3 La hora en intervalos de un minuto

Mira las manecillas del reloj. Escribe la hora.

1.

2.

3.

Resolución de problemas En el mundo

4. **Múltiples pasos** Mira los relojes para ver cuándo Bonnie comenzó cada actividad.

Desayunó.

Se despertó.

Se vistió.

Escribe la hora de las actividades en orden.
Comienza con la actividad que Bonnie hizo primero.

primera

segunda

tercera

Elige la respuesta correcta.

5. ¿Qué hora se muestra en este reloj?

- ○ 12:15
- ○ 3:01
- ○ 3:30

6. Este reloj muestra la hora a la que Evan mira la televisión. ¿Qué hora se muestra en el reloj?

- ○ 11:28
- ○ 4:55
- ○ 12:30

7. Este reloj muestra la hora a la que Abby llamó a su amiga por teléfono. ¿Qué hora se muestra en el reloj?

- ○ 3:45
- ○ 8:15
- ○ 3:42

8. ¿Qué hora se muestra en este reloj?

- ○ 8:35
- ○ 7:32
- ○ 7:47

18.4 a. m. y p. m.

TEKS Geometría y medición: 2.9.G
PROCESOS MATEMÁTICOS
2.1.E, 2.1.A

? Pregunta esencial

¿De qué manera usas a. m. y p. m. para describir las horas?

Explora En el mundo

Dibuja las manecillas del reloj para mostrar cada hora.
Luego, escribe cada hora.

Mañana	Noche

Charla matemática

Procesos matemáticos

Describe algunas actividades que haces tanto por la mañana como por la noche.

PARA EL MAESTRO • Pida a los niños que hagan dibujos para mostrar una actividad que hacen por la mañana y una actividad que hacen por la noche. Deben escribir un rótulo para cada dibujo. Luego, pídales que muestren en los relojes la hora a la que hacen cada actividad.

Representa y dibuja

A las 12:00 del día es **mediodía.**

A las 12:00 de la noche es **medianoche.**

Las horas después de la medianoche y antes del mediodía se escriben con **a. m.**

11:00 a. m. es por la mañana.

Las horas después del mediodía y antes de la medianoche se escriben con **p. m.**

11:00 p. m. es por la noche.

Comparte y muestra

Escribe la hora. Luego, encierra en un círculo **a. m.** o **p. m.**

1. desayunar

a. m.

p. m.

2. ir a la clase de arte

a. m.

p. m.

✓3. hacer la tarea

a. m.

p. m.

✓4. llegar a la escuela

a. m.

p. m.

Nombre _____

Resolución de problemas

Escribe la hora. Luego, encierra en un círculo **a. m.** o **p. m.**

5. almorzar

a. m.

p. m.

6. salir de la escuela

a. m.

p. m.

---

7.  Usa las horas de la lista para completar el problema.

Dani llegó a la escuela a las _____.

Su clase fue a la biblioteca a las

_____. Después de la escuela,

Dani leyó un libro a las _____.

10:15 a. m.
3:20 p. m.
8:30 a. m.

---

8.  **Múltiples pasos** En esta línea cronológica se muestran algunas horas. Escribe rótulos para los puntos que nombren cosas que haces en la escuela durante esas partes del día.

8:00 a. m.   10:00 a. m.   mediodía   2:00 p. m.   4:00 p. m.

¿Qué horas dirías que muestran los puntos

de la línea cronológica? _____ y _____

© Houghton Mifflin Harcourt Publishing Company

Elige la respuesta correcta.

9. **Conecta** La clase de Sonia va al patio de recreo por la mañana. ¿A cuál de las siguientes horas podría ser?

○ a las 10:10 p. m.

○ a las 9:10 a. m.

○ a las 2:45 p. m.

10. **Representaciones** La clase de Jessie miró una película. El reloj muestra cuándo terminó la película. ¿A qué hora terminó?

○ a las 4:02 p. m.

○ a la 1:19 a. m.

○ a la 1:19 p. m.

11. **Preparación para la prueba de TEXAS** El reloj muestra la hora a la que Jane salió al recreo. ¿A qué hora salió al recreo?

○ a las 6:00 a. m.

○ a las 11:30 a. m.

○ a las 11:30 p. m.

ACTIVIDAD PARA LA CASA • Diga algunas actividades y algunas horas. Pida a su niño que diga si las horas son *a. m.* o *p. m.*

TEKS Geometría y medición: 2.9.G
PROCESOS MATEMÁTICOS 2.1.E, 2.1.A

Nombre _____

18.4   a. m. y p. m.

Escribe la hora. Luego, encierra en un círculo **a. m.** o **p. m.**

I. practicar piano

a. m.

p. m.

2. vestirse para ir a la escuela

a. m.

p. m.

Resolución de problemas

3. Usa las horas de la lista. Completa el problema.

Julia comenzó el día de campo a las _____.

Nadó a las _____.

Tomó el autobús de regreso a su casa a las _____.

10:20 a. m.
3:40 p. m.
8:45 a. m.

4. Múltiples pasos En esta línea cronológica se muestran algunas horas. Escribe la hora que cada punto muestra.

8:00 a. m.   10:00 a. m.   mediodía   2:00 p. m.   4:00 p. m.

_____   _____

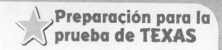
Elige la respuesta correcta.

5. El reloj muestra la hora a la que Mel fue al gimnasio esta tarde. ¿A qué hora fue al gimnasio?

  ○ a las 12:10 a. m.   ○ a las 2:00 p. m.   ○ a las 2:00 a. m.

6. La clase de Maura fue a ver una obra de títeres. El reloj muestra la hora a la que la obra terminó. ¿A qué hora terminó la obra?

  ○ a la 1:28 p. m.   ○ a las 6:05 p. m.   ○ a la 1:28 a. m.

7. El reloj muestra la hora a la que Larry llegó a la escuela. ¿A qué hora llegó Larry a la escuela?

  ○ a las 3:50 p. m.

  ○ a las 10:20 p. m.

  ○ a las 10:15 a. m.

8. El reloj muestra cuándo comienza la clase de arte. ¿A qué hora comienza la clase de arte?

  ○ a las 11:20 a. m.

  ○ a las 4:55 a. m.

  ○ a las 11:20 p. m.

Nombre _____

 # Evaluación del Módulo 18

Conceptos y destrezas

Mira las manecillas del reloj. Escribe la hora. TEKS 2.9.G TEKS 2.9.G

1.

2.

3.

Mira el reloj digital. Dibuja las manecillas del reloj. TEKS 2.9.G

4.

12:55

5.

4:33

6.

9:15

Escribe la hora. Luego, encierra en un círculo **a. m.** o **p. m.** TEKS 2.9.G

7. ir a la clase de ciencias

a. m.

p. m.

8. mirar la luna

a. m.

p. m.

Módulo 18

seiscientos veintisiete **627**

© Houghton Mifflin Harcourt Publishing Company • Image Credits: (l) ©Bananastock/Jupiterimages/Getty Images; (r) ©Jupiterimages/Getty Images

Rellena el círculo de la respuesta correcta.

9. El reloj muestra la hora a la que la clase de música comenzó. ¿A qué hora comenzó la clase de música? ↳ TEKS 2.9.G

○ a las 7:25 a. m.

○ a las 4:35 a. m.

○ a las 4:35 p. m.

10. Luke comenzó la práctica de fútbol a la hora que se muestra en el reloj. ¿Cuál de estos relojes muestra la misma hora? ↳ TEKS 2.9.G

○ 4:45

○ 3:45

○ 9:20

11. El tren llega a la estación a la hora que se muestra en el reloj digital. ¿Cuál de estos relojes muestra la misma hora? ↳ TEKS 2.9.G

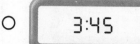

8:17

○    ○    ○

12. La clase de arte comenzó a la hora que se muestra en el reloj. ¿A qué hora comenzó la clase de arte? ↳ TEKS 2.9.G

○ a la 1:15 p. m.

○ a la 1:15 a. m.

○ a las 5:10 p. m.

Evaluación de la Unidad 4

Conceptos y destrezas

1. Encierra en un círculo las figuras que tienen exactamente 4 lados.
   Tacha con una X las figuras que tienen más de 4 vértices. TEKS 2.8.C

Dibuja la figura con una regla. TEKS 2.8.A

2. una figura con 6 lados	3. una figura con 4 vértices

	vista superior	vista frontal
4. Haz un prisma rectangular con 24 cubos. Sombrea para mostrar las vistas superior y frontal. TEKS 2.8.D	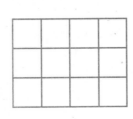	

Rellena el círculo de la respuesta correcta.

5. ¿Qué figura muestra una manera de plegar y cortar un pentágono para formar dos cuadriláteros? 🔺 TEKS 2.8.E

○ 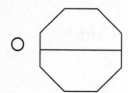   ○ 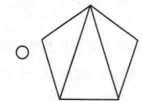   ○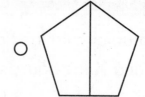

6. Max comenzó la práctica de béisbol a la hora que se muestra en el reloj. ¿A qué hora comenzó la práctica de béisbol? 🔺 TEKS 2.9.G

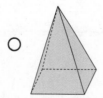

○ a las 3:55

○ a las 2:55

○ a las 11:15

7. ¿Cuál de estos sólidos es un prisma rectangular? 🔺 TEKS 2.8.B

○ 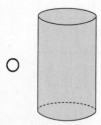   ○    ○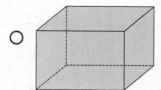

8. ¿Cuál de las siguientes figuras tiene 8 lados? 🔺 TEKS 2.8.C

○ 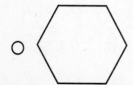   ○ 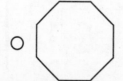   ○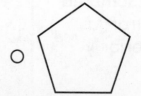

9. David midió una cuerda en centímetros. Hizo este diagrama para mostrar la longitud de la cuerda. ¿Cuántos centímetros de largo mide su cuerda? ⬇ TEKS 2.9.C

○ 16 centímetros

○ 21 centímetros

○ 5 centímetros

10. Ellen le está enseñando a su hermana a usar una regla. ¿Cuál de estas oraciones es verdadera? ⬇ TEKS 2.9.B

○ 1 pie es lo mismo que 1 metro.

○ 1 pie es lo mismo que 12 pulgadas.

○ 1 centímetro es lo mismo que 10 metros.

11. Usa una regla en pulgadas. ¿Cuál es la longitud del estambre a la pulgada más cercana? ⬇ TEKS 2.9.D

○ 4 pulgadas

○ 40 pulgadas

○ 6 pulgadas

12. Olivia se cepilla los dientes a esta hora todas las noches. ¿Qué hora muestra el reloj? ⬇ TEKS 2.9.G

○ 1:40 p. m.

○ 8:05 a. m.

○ 8:05 p. m.

13. Adrián está midiendo algunos objetos del salón de clases. Haz lo mismo con una regla en pulgadas. Encierra en un círculo dos de los objetos de abajo que tengan una longitud total menor que 9 pulgadas. ⬇ TEKS 2.9.D

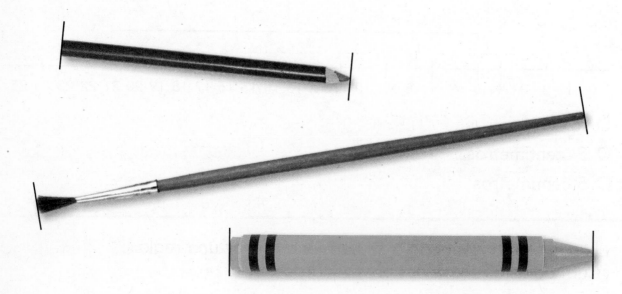

. . . .

Adrián quiere medir la longitud real de un tablero de anuncios en pulgadas y en pies. Describe en qué se diferenciarán estas dos mediciones. Luego, explica por qué serán diferentes. ⬇ TEKS 2.9.B

_____

_____

_____

_____

_____

5 Análisis de datos

Muestra lo que sabes ✓

Comprueba si comprendes las destrezas importantes.

Nombre _____

Hacer tablas de conteo

Completa la tabla de conteo.

Color que nos gusta		Total
verde	III	
rojo	ⅢⅢ I	
azul	ⅢⅢ III	

1. ¿Cuántos niños eligieron el rojo?

_____ niños

2. ¿Qué color eligieron el menor número de niños?

_____

Sumas de hasta 10

Escribe la suma.

3. $5 + 2 =$ _____ | 4. $6 + 3 =$ _____ | 5. $2 + 8 =$ _____

Diferencias de hasta 10

Escribe la diferencia.

6. $6 - 5 =$ _____ | 7. $5 - 3 =$ _____ | 8. $10 - 7 =$ _____

9. $9 - 2 =$ _____ | 10. $8 - 4 =$ _____ | 11. $10 - 2 =$ _____

NOTA PARA LA FAMILIA: El propósito de esta página es comprobar si su niño comprende las destrezas importantes que se necesitan para tener éxito en la Unidad 5.

APRENDE EN LÍNEA

Opciones de evaluación:
Soar to Success Math

© Houghton Mifflin Harcourt Publishing Company

Visualizar

Haz **marcas de conteo** para mostrar cada número.

7		4
	marcas de conteo	
10		13

Comprender el vocabulario

Completa la oración con un número.

1. 10 manzanas son **más que** _____ manzanas.

_____

2. 6 plátanos son **menos que** _____ plátanos.

_____

3. _____ uvas son **más que** 6 uvas.

_____

4. _____ naranjas son **menos que** 5 naranjas.

¡Día de competencias!

escrito por Tim Johnson
ilustrado por Lee Calderon

Este librito para la casa pertenece a:

_____

Marcas de conteo
_____

I representa 1

IIII representa 5

Nuestro día
de
competencias

Lectura y redacción de matemáticas

Este librito para la casa te servirá para
repasar cómo se hace una tabla de conteo.
PROCESOS MATEMÁTICOS **2.1.A, 2.1.D, 2.1.E, 2.1.G**

La clase está planeando un día de competencias. Harán una encuesta a 22 niños para saber cuáles son sus actividades favoritas. Usarán marcas de conteo.

¿Cuál fue el deporte elegido el mayor número de veces?

¿Cuál fue el deporte elegido el menor número de veces?

¿Por cuál deporte habrías votado tú?

Qué puedes decir acerca de los resultados
de la encuesta sobre los alimentos?
¿Por cuál alimento habrías votado tú?

Esta encuesta mostrará cuántos niños quieren gorras o camisetas. ¿Cuántos de los 22 niños crees que pidieron cada prenda? Haz marcas de conteo para mostrar lo que piensas. Recuerda que hay 22 niños en total.

Mañana | Tarde

¿Las competencias deberían realizarse por la mañana o por la tarde? Los niños que querían votar por la mañana levantaron la mano. Los niños que querían votar por la tarde, no la levantaron. Anota los resultados en la tabla de conteo.

Si tuviéramos un día de competencias, ¿preferirías...

Imagina que tu clase está planeando un día de competencias. ¿Qué opciones ofrecerías? Escribe dos ideas. Luego, haz una encuesta en la clase. Anota los resultados en la tabla. ¿Cuál de tus ideas fue elegida el mayor número de veces? ¿Cuál fue elegida el menor número de veces?

Nombre _____

Escribe ▸ Escribe tu propio cuento sobre una encuesta que harías en tu clase. Dibuja una tabla de conteo con marcas de conteo para mostrar cuáles podrían ser los resultados.

Repaso del vocabulario

tabla de conteo

marca de conteo

encuesta

_____

_____

_____

_____

_____

_____

Planear una encuesta

Imagina que tu clase va a organizar una fiesta. Una encuesta es una buena manera de decidir la comida y la bebida que van a servir. Planea una encuesta sobre los jugos o los alimentos para la fiesta.

1. Escribe las tres opciones para tu encuesta en la parte de arriba de la tabla de conteo.

2. ¿Qué preguntarías en la encuesta?

_____

_____

MATH BOARD Haz la pregunta de tu encuesta a algunos de tus compañeros. Cuenta las marcas de conteo y luego describe los resultados por escrito.

19.1 Leer pictografías

? **Pregunta esencial**

¿De qué manera usas una pictografía para mostrar datos?

Explora **En el mundo**

Usa la tabla de conteo para resolver el problema.
Muestra lo que hiciste con un dibujo o por escrito.

Pasatiempo favorito	
Pasatiempo	**Conteo**
artesanías	~~IIII~~ I
lectura	IIII
música	~~IIII~~
deportes	~~IIII~~ II

_____ estudiantes más

Charla matemática

Procesos matemáticos

¿Puede usarse la tabla para hallar cuántas niñas eligieron la música? **Explica** tu respuesta.

PARA EL MAESTRO • Lea el siguiente problema: La clase del Sr. Martin hizo esta tabla de conteo. ¿Cuántos estudiantes más eligieron los deportes que la lectura como su pasatiempo favorito?

Representa y dibuja

Una **pictografía** muestra los datos por medio de dibujos.

Número de partidos de fútbol							
marzo	⚽	⚽	⚽	⚽			
abril	⚽	⚽	⚽				
mayo	⚽	⚽	⚽	⚽	⚽	⚽	
junio	⚽	⚽	⚽	⚽	⚽	⚽	⚽

Clave: Cada ⚽ representa 1 partido.

La **clave** indica cuánto representa cada dibujo.

Comparte y muestra

MATH BOARD

Mira la pictografía para contestar las preguntas.

Bocadillo favorito								
pretzels	☺	☺	☺	☺	☺	☺	☺	☺
uvas	☺	☺	☺	☺	☺	☺	☺	
palomitas de maíz	☺	☺	☺					
manzanas	☺	☺	☺	☺	☺	☺		

Clave: Cada ☺ representa a 1 niño.

☑ 1. ¿Qué bocadillo eligieron el menor número de niños? _____

☑ 2. ¿Cuántos niños más eligieron los pretzels
que las manzanas? _____ niños más

Nombre _____

Mira la pictografía para contestar las preguntas.

Número de lápices									
Alana	✏	✏	✏						
Teresa	✏	✏	✏	✏	✏				
John	✏	✏	✏	✏					
Brad	✏	✏	✏	✏	✏	✏	✏		

Clave: Cada ✏ representa I lápiz.

3. ¿Cuántos lápices tienen Alana y Brad? _____ lápices

_____

4. ¿Cuántos lápices más que Alana
tiene Teresa? _____ lápices más

_____

5. **H.O.T.** **Múltiples pasos** La Sra. Green
tiene el mismo número de lápices
que los cuatros niños juntos. ¿Cuántos
lápices tiene?

_____ lápices

_____

6. **H.O.T.** Christy tiene 7 lápices. Escribe dos oraciones
para comparar el número de lápices que Christy tiene
con los datos de la pictografía.

_____

_____

_____

_____

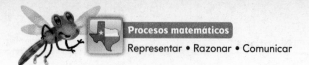
Elige la respuesta correcta.

Color de globo favorito

verde	●	●	●	●				
azul	●	●	●	●	●			
rojo	●	●	●	●	●	●	●	

Clave: Cada ● representa a 1 niño.

7. **Usa gráficas** Mira la pictografía de arriba. ¿Cuántos niños eligieron los globos rojos?

○ 7
○ 5
○ 6

8. **Representaciones** Mira la pictografía de arriba. ¿Cuántos niños votaron en total?

○ 11
○ 16
○ 12

9. ⭐ **Preparación para la prueba de TEXAS** Mira la pictografía. ¿Cuántas mascotas tienen los tres niños?

○ 6
○ 3
○ 5

Número de mascotas

Scott	◆	◆	◆	
Andre	◆			
Maddie	◆	◆		

Clave: Cada representa 1 mascota.

ACTIVIDAD PARA LA CASA • Pida a su niño que describa y que explique alguna de las pictografías de esta lección.

Tarea y práctica

Nombre _____

19.1 Leer pictografías

Mira la pictografía para contestar las preguntas.

Jugo favorito							
manzana	☺	☺	☺	☺	☺	☺	☺
uva	☺	☺	☺	☺	☺		
naranja	☺	☺	☺	☺	☺	☺	
arándano	☺	☺	☺				

Clave: Cada ☺ representa a 1 niño.

1. ¿Qué jugo eligieron el menor número de niños?

_____

2. ¿Cuántos niños eligieron el jugo de manzana y el jugo de naranja?

_____ niños

3. ¿Cuántos niños más eligieron el jugo de manzana que el jugo de uva?

_____ niños más

Resolución de problemas

4. **Múltiples pasos** A Hal le gusta el jugo que 5 niños eligieron. A Martha le gusta el jugo que más niños eligieron. ¿Cuáles son los jugos que Hal y Martha eligieron?

Hal: _____

Martha: _____

Elige la respuesta correcta.

5. Mira la pictografía. ¿Cuántos cachorros tienen Mark y Dani?

Número de cachorros					
Mark	★	★			
April	★	★	★	★	
Dani	★				

Clave: Cada ★ representa 1 cachorro.

○ 7   ○ 3   ○ 6

6. Mira la pictografía. ¿Cuántos niños eligieron el color negro?

Color favorito de bicicleta						
negro	●	●	●	●		
azul	●	●	●	●	●	●
plateado	●	●	●			

Clave: Cada ● representa a 1 niño.

○ 4   ○ 6   ○ 3

7. Mira la pictografía de arriba. ¿Cuántos niños eligieron los colores negro y plateado?

○ 6   ○ 4   ○ 7

TEKS Análisis de datos:
2.10.B
PROCESOS MATEMÁTICOS
2.1.A, 2.1.E, 2.1.F, 2.1.G

19.2 Hacer pictografías

? Pregunta esencial

¿De qué manera haces una pictografía para mostrar los datos de una tabla de conteo?

Explora

Manos a la obra

Túrnense para sacar un cubo de la bolsa.
Por cada cubo, dibuja una cara feliz en la gráfica.

Colores de los cubos					
azul					
rojo					
verde					
anaranjado					

Clave: Cada representa 1 cubo.

Charla matemática

Procesos matemáticos

Explica cómo sabes que el número de caras felices de la hilera del color azul es igual al número de cubos azules.

PARA EL MAESTRO • Divida a los niños en grupos pequeños. Pídales que se turnen para sacar un cubo de una bolsa. Cada vez que alguien saque un cubo, cada niño debe dibujar una cara feliz en la pictografía para representar ese cubo.

Representa y dibuja

Cada dibujo de la pictografía representa 1 flor.
Haz dibujos para mostrar los datos de la tabla de conteo.

Número de flores recogidas	
Nombre	**Conteo**
Jessie	|||
Inés	‖‖
Paulo	||||

Número de flores recogidas				
Jessie	⬭	⬭	⬭	
Inés				
Paulo				

Clave: Cada ⬭ representa 1 flor.

Comparte y muestra

1. Usa la tabla de conteo para completar la pictografía.
   Dibuja una ☺ por cada niño.

Sándwich favorito	
Sándwich	**Conteo**
queso	‖‖
jamón	||
atún	||||
pavo	|||

Sándwich favorito					
queso					
jamón					
atún					
pavo					

Clave: Cada ☺ representa a 1 niño.

2. ¿Cuántos niños eligieron el sándwich de atún? _____ niños

3. ¿Cuántos niños más eligieron el sándwich
   de queso que el de jamón? _____ niños más

Resolución de problemas

4. Usa la tabla de conteo para completar la pictografía.
   Dibuja una ☺ por cada niño.

Fruta favorita	
Fruta	Conteo
manzana	||||
ciruela	||
plátano	|||||
naranja	|||

Fruta favorita					
manzana					
ciruela					
plátano					
naranja					

Clave: Cada ☺ representa a 1 niño.

Mira la pictografía.

5. ¿Cuántos niños eligieron el plátano? _____ niños

6. ¿Cuántos niños menos eligieron la
   ciruela que el plátano? _____ niños menos

7. **H.O.T.** **Múltiples pasos** ¿Cuántos
   niños eligieron una fruta que no
   era la ciruela?

   _____ niños

8. **H.O.T.** **Múltiples pasos** ¿Cuáles son las
   tres frutas que un total de 10 niños eligieron?

   _____

Elige la respuesta correcta.

Estación favorita

primavera	☺	☺	☺	☺	☺	☺		
verano	☺	☺	☺	☺	☺	☺	☺	☺
otoño	☺	☺	☺	☺				
invierno	☺	☺	☺	☺	☺	☺	☺	

Clave: Cada ☺ representa a 1 niño.

9. **Razonamiento** Mira la pictografía de arriba. Dave eligió una estación del año que recibió menos votos que la primavera. ¿Cuál es la estación favorita de Dave?

   ○ la primavera
   ○ el verano
   ○ el otoño

10. **Aplica** Mira la pictografía de arriba. Mary eligió el invierno como su estación favorita. ¿Cuántos niños eligieron una estación que no es el invierno?

    ○ 7
    ○ 18
    ○ 14

11. ⭐ **Preparación para la prueba de TEXAS** Mira la pictografía. ¿Cuántos niños eligieron el jugo de naranja?

    ○ 2
    ○ 9
    ○ 3

Jugo favorito

manzana	🥤	🥤	🥤	🥤
arándano	🥤	🥤		
naranja	🥤	🥤	🥤	

Clave: Cada 🥤 representa a 1 niño.

ACTIVIDAD PARA LA CASA • Pida a su niño que explique cómo hizo alguna de las pictografías de esta lección.

Tarea y práctica

Nombre _____

19.2 Hacer pictografías

1. Usa la tabla de conteo para completar la pictografía.
   Dibuja una ☺ por cada niño.

Color favorito	
Color	**Conteo**
azul	IIII
verde	IIII I
rojo	IIII II
amarillo	II

Color favorito					
azul					
verde					
rojo					
amarillo					

Clave: Cada ☺ representa a 1 niño.

2. ¿Cuántos niños eligieron el color rojo?   _____ niños

3. ¿Cuántos niños menos eligieron el color
   amarillo que el color verde?   _____ niños menos

Resolución de problemas

4. **Múltiples pasos** ¿Cuántos niños eligieron un
   color que no es el amarillo?   _____ niños

5. **Múltiples pasos** ¿Cuáles son los tres colores que
   un total de 14 niños eligieron?

Elige la respuesta correcta.

6. Mira la pictografía. ¿Cuántos niños eligieron la cabra como su animal de granja favorito?

   ○ 8

   ○ 3

   ○ 4

Animal de granja favorito				
vaca	☺	☺	☺	☺
cabra	☺	☺	☺	
cerdo	☺			

Clave: Cada ☺ representa a 1 niño.

Sabor de helado favorito							
chocolate	☺	☺	☺	☺	☺		
dulce de arce	☺						
fresa	☺	☺	☺	☺			
vainilla	☺	☺	☺	☺	☺	☺	☺

Clave: Cada ☺ representa a 1 niño.

Mira la pictografía de arriba.

7. Steve eligió un sabor que recibió menos votos que la fresa. ¿Cuál es el sabor de helado favorito de Steve?

   ○ dulce de arce   ○ chocolate   ○ vainilla

8. Tracey eligió la vainilla como su sabor de helado favorito. ¿Cuántos niños eligieron un sabor que no es la vainilla?

   ○ 12   ○ 10   ○ 17

Nombre _____

19.3 Leer gráficas de barras

? **Pregunta esencial**

¿De qué manera puede usarse una gráfica de barras para mostrar datos?

Explora En el mundo

Manos a la obra

Mira la pictografía para resolver el problema.
Muestra lo que hiciste con un dibujo o por escrito.

Camionetas rojas que vimos la semana pasada							
Morgan	■	■	■				
John	■	■	■	■	■	■	
Cindy	■	■	■	■	■	■	■	■
Carlos	■	■	■	■			

Clave: Cada ■ **representa 1 camioneta roja.**

_____ camionetas rojas

Charla matemática
Procesos matemáticos

Describe en qué se diferencian los datos de la gráfica que corresponden a John y a Cindy.

PARA EL MAESTRO • Lea el siguiente problema a los niños: Morgan hizo una pictografía para mostrar el número de camionetas rojas que sus amigos y ella vieron la semana pasada. ¿Cuántas camionetas rojas vieron los cuatro niños la semana pasada?

Una **gráfica de barras** muestra los datos por medio de barras. Mira dónde terminan las barras. Los números de la **escala** indican cuántos hay.

Hay 8 niños jugando al fútbol.

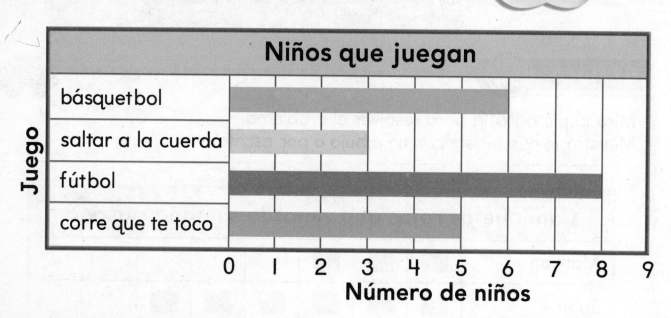

Niños que juegan

Juego	
básquetbol	
saltar a la cuerda	
fútbol	
corre que te toco	

0 1 2 3 4 5 6 7 8 9

Número de niños

 MATH BOARD

Mira la gráfica de barras.

I. ¿Cuántas canicas verdes hay en la bolsa?

_____ canicas verdes

2. ¿Cuántas canicas azules más que canicas moradas hay en la bolsa?

_____ canicas azules más

3. ¿Cuántas canicas hay en la bolsa?

_____ canicas

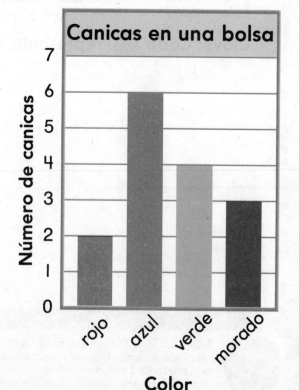

Canicas en una bolsa

Número de canicas

7
6
5
4
3
2
1
0

rojo azul verde morado

Color

658 seiscientos cincuenta y ocho

Nombre _____

Resolución de problemas

Mira la gráfica de barras.

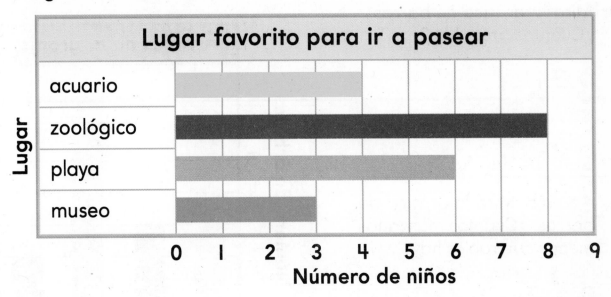

Lugar favorito para ir a pasear

(Gráfica de barras)
Lugar / Número de niños:
- acuario: 4
- zoológico: 8
- playa: 6
- museo: 3

Número de niños: 0 1 2 3 4 5 6 7 8 9

4. ¿Cuántos niños eligieron la playa?

_____ niños

5. ¿Qué lugar eligieron el menor número de niños?

_____

6. **H.O.T.** **Múltiples pasos** Greg eligió un lugar que tiene más votos que el acuario y el museo juntos. ¿Qué lugar eligió Greg?

_____

7. **H.O.T.** **Múltiples pasos** Gina usó los datos de la gráfica de barras para escribir $10 < 11$. ¿Qué votos comparó?

_____

_____

_____

Procesos matemáticos
Representar • Razonar • Comunicar

Elige la respuesta correcta.

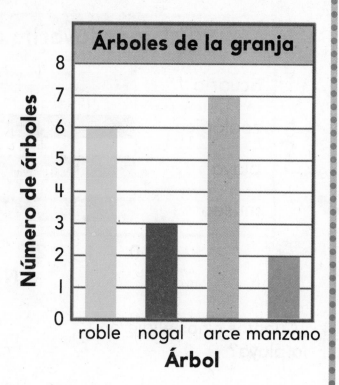

Árboles de la granja

(Número de árboles — eje vertical: 0 1 2 3 4 5 6 7 8)

roble   nogal   arce   manzano

Árbol

8. Mira la gráfica de barras.
¿Cuántos arces hay?

   ○ 3

   ○ 7

   ○ 2

9. **Analiza** Mira la gráfica de barras. ¿Cuántos manzanos menos que robles hay?

   ○ 4

   ○ 1

   ○ 5

10. **Múltiples pasos** Mira la gráfica de barras. ¿Cuántos árboles no son manzanos?

    ○ 2

    ○ 16

    ○ 9

11. ⭐ **Preparación para la prueba de TEXAS** Mira la gráfica de barras de arriba. ¿Cuántos robles hay en la granja?

    ○ 6

    ○ 3

    ○ 8

ACTIVIDAD PARA LA CASA • Pida su niño que explique cómo resolvió alguno de los ejercicios de esta lección.

19.3 Leer gráficas de barras

Mira la gráfica de barras.

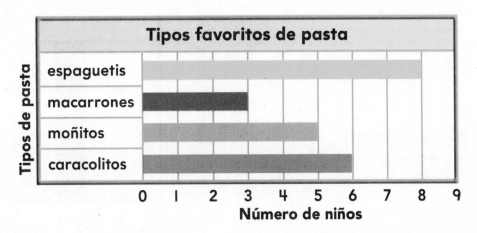

Tipos favoritos de pasta

Tipos de pasta	Número de niños
espaguetis	8
macarrones	3
moñitos	5
caracolitos	6

1. ¿Cuántos niños eligieron los caracolitos?

_____ niños

2. ¿Qué tipo de pasta eligieron el menor número de niños?

_____

Resolución de problemas

Mira la gráfica de barras de arriba.

3. Dora eligió un tipo de pasta que los niños eligieron más que los caracolitos. ¿Qué tipo de pasta eligió Dora? _____

4. Múltiples pasos Bart usó los datos de la gráfica de barras para escribir $13 > 9$. ¿Qué votos comparó?

_____

_____

_____

Repaso de la lección

Elige la respuesta correcta.

5. ¿Cuántos niños eligieron el brócoli?

- ○ 5
- ○ 2
- ○ 4

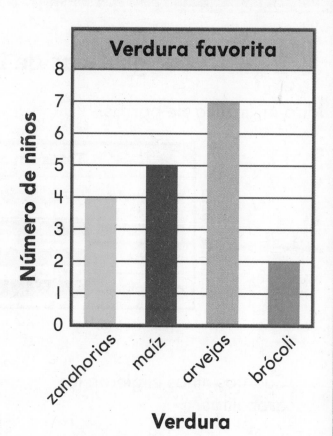

Verdura favorita

Número de niños

zanahorias maíz arvejas brócoli

Verdura

6. ¿Cuántos niños eligieron el maíz y las arvejas?

- ○ 12
- ○ 9
- ○ 18

7. ¿Cuántos niños menos eligieron las zanahorias que las arvejas?

- ○ 4
- ○ 2
- ○ 3

8. Múltiples pasos ¿A cuántos niños menos les gustan las zanahorias y el brócoli que el maíz y las arvejas?

- ○ 7
- ○ 5
- ○ 6

19.4 Hacer gráficas de barras

? Pregunta esencial

¿De qué manera haces una gráfica de barras para mostrar datos?

Explora En el mundo

Manos a la obra

Mira la gráfica de barras para resolver el problema.
Muestra lo que hiciste con un dibujo o por escrito.

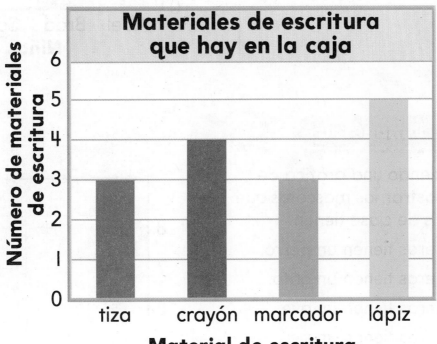

Materiales de escritura
que hay en la caja

Número de materiales de escritura

Material de escritura

tiza   crayón   marcador   lápiz

_____ materiales de escritura

Charla matemática

Procesos matemáticos

¿Qué muestra la longitud de las barras de la gráfica que corresponden a los crayones y a los marcadores? **Explica** tu respuesta.

PARA EL MAESTRO • Lea el siguiente problema: Barry hizo esta gráfica de barras. ¿Cuántos materiales de escritura hay en la caja?

Representa y dibuja

Completa la gráfica de barras para mostrar estos datos.

- Abel leyó 2 libros.

- Brad leyó 4 libros.

- Cari leyó 1 libro.

- Lynn leyó 3 libros.

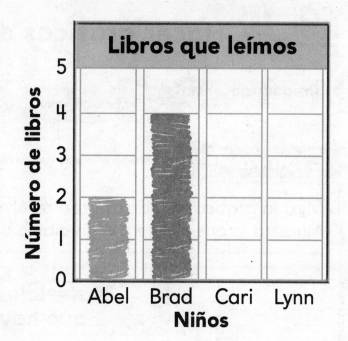

Comparte y muestra

Elena está haciendo una gráfica de barras para mostrar las mascotas que sus compañeros de clase tienen.

- 5 compañeros tienen un perro.
- 7 compañeros tienen un gato.
- 2 compañeros tienen un ave.
- 3 compañeros tienen un pez.

1. Escribe los rótulos y dibuja las barras para completar la gráfica.

2. ¿De qué manera cambiará la gráfica si un niño más tiene un ave?

_____

_____

_____

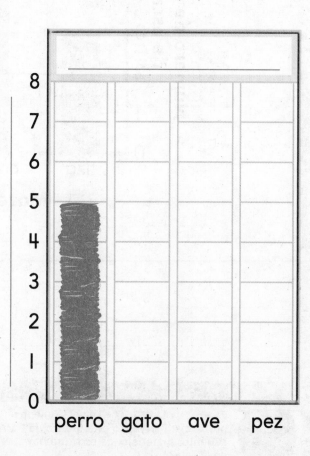

Resolución de problemas

Dexter preguntó a sus compañeros de clase cuáles son sus ingredientes para pizza favoritos.

- 4 compañeros eligieron los pimientos.
- 7 compañeros eligieron la carne.
- 5 compañeros eligieron las setas.
- 2 compañeros eligieron las aceitunas.

3. Escribe el título y los rótulos de la gráfica de barras. Dibuja las barras para mostrar los datos.

pimientos	
carne	
setas	
aceitunas	

0 1 2 3 4 5 6 7 8 9 10

_____

4. **H.O.T.** **Múltiples pasos** ¿Hubo más compañeros de clase que eligieron los pimientos y las aceitunas que la carne? Explica tu respuesta.

_____

_____

5. **H.O.T.** **Múltiples pasos** ¿Cuáles son los tres ingredientes que un total de 13 niños eligieron?

_____

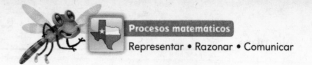

Tarea diaria de evaluación

Sigue las instrucciones.

6. Dibuja barras en la gráfica para mostrar estos datos.

6 niños eligieron el oso.
4 niños eligieron el león.
7 niños eligieron el tigre.
3 niños eligieron la cebra.

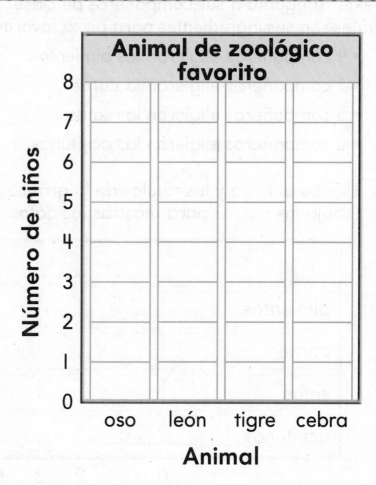

Elige la respuesta correcta.

7. **Analiza** ¿Cuántos niños votaron por su animal de zoológico favorito?

○ 20
○ 8
○ 16

8. **Preparación para la prueba de TEXAS** Mira la gráfica de barras de arriba. ¿Qué animal eligieron el mayor número de niños?

○ oso
○ tigre
○ cebra

ACTIVIDAD PARA LA CASA • Pida a su niño que describa cómo hizo alguna de las gráficas de barras de esta lección.

19.4 Hacer gráficas de barras

Andy preguntó a sus compañeros de clase cuál era su sándwich favorito.

- 3 compañeros eligieron el sándwich de queso.
- 8 compañeros eligieron el sándwich de mantequilla de cacahuate.
- 6 compañeros eligieron el sándwich de pavo.
- 2 compañeros eligieron el sándwich de jamón.

I. Escribe el título y los rótulos de la gráfica de barras. Dibuja barras para mostrar los datos.

queso											
mantequilla de cacahuate											
pavo											
jamón											

0 1 2 3 4 5 6 7 8 9 10

Resolución de problemas

2. **Múltiples pasos** ¿Hubo más niños que eligieron el sándwich de queso y el de jamón que el sándwich de pavo? Explica tu respuesta.

_____

_____

_____

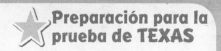
Elige la respuesta correcta.

3. ¿Cuál es el ave que más niños eligieron?

   ○ el petirrojo

   ○ el búho

   ○ la urraca azul

4. Sydney eligió el ave que recibió menos votos que la urraca azul. ¿Qué ave eligió Sydney?

   ○ el petirrojo

   ○ el búho

   ○ el gorrión

5. Matt eligió el ave que recibió 5 votos más que el gorrión. ¿Qué ave eligió Matt?

   ○ el búho

   ○ el petirrojo

   ○ la urraca azul

6. **Múltiples pasos** ¿Cuántos niños votaron por su ave favorita?

   ○ 20

   ○ 15

   ○ 17

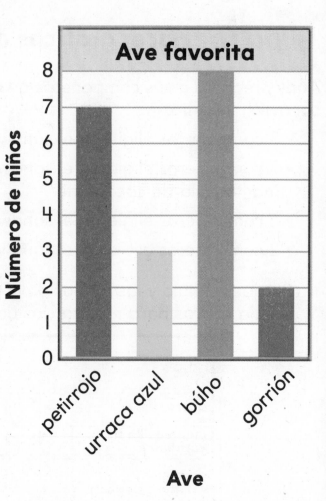

Ave favorita

Número de niños

Ave

TEKS Análisis de datos:
2.10.C
PROCESOS MATEMÁTICOS
2.1.A, 2.1.D, 2.1.F

19.5 Usar datos para escribir problemas

 Pregunta esencial

¿De qué manera puedes escribir y resolver un problema a partir de los datos de una gráfica?

Explora

Usa los datos para hacer una pictografía.

_____						
_____						
_____						
_____						

Clave: Cada  representa 1 lápiz.

Hay _____ lápices morados menos que lápices rojos en la caja.

 PARA EL MAESTRO • Lea el siguiente problema: La maestra tiene 5 lápices amarillos en una caja. También tiene 4 lápices rojos, 1 lápiz morado y 3 lápices azules en la caja. ¿Cuántos lápices morados menos que lápices rojos hay en la caja?

Charla matemática
Procesos matemáticos

Explica de qué manera usaste la gráfica para contestar la pregunta.

Representa y dibuja

¿Qué problemas podrías escribir a partir de los datos de la gráfica?

Cuatro niños leyeron
algunos libros. ¿Cuántos
libros leyeron Craig y Kyle?

Respuesta: _____ libros

Libros que leímos					
Craig	☺	☺	☺	☺	
Kyle	☺	☺	☺		
Lori	☺	☺	☺	☺	☺
Paula	☺	☺	☺	☺	

Clave: Cada ☺ representa 1 libro.

¿Cuántos libros más leyó _____

que _____?

Respuesta: _____ libros más

Comparte y muestra

MATH BOARD

Escribe una pregunta que pueda
contestarse con la gráfica.
Luego, resuelve.

Mascota favorita					
gato	♥	♥	♥	♥	
pez	♥	♥			
hámster	♥				
perro	♥	♥	♥	♥	♥

Clave: Cada ♥ representa a 1 niño.

1. Los niños votaron por su mascota favorita.

_____

_____

_____

Respuesta: _____

Nombre _____

Resolución de problemas

Escribe una pregunta que pueda contestarse con la gráfica. Luego, resuelve.

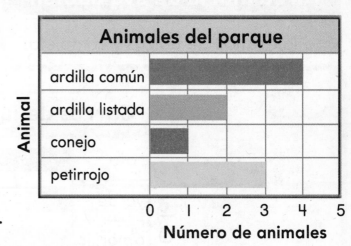

Animales del parque

Animal:
ardilla común
ardilla listada
conejo
petirrojo

0 1 2 3 4 5
Número de animales

2. Vimos estos animales en el parque.

_____

_____

Respuesta: _____

---

3. **H.O.T.** **Múltiples pasos** Usa los datos de la gráfica de arriba para escribir una pregunta que pueda contestarse con esta oración de suma.

$3 + 2 = 5$

Matemáticas al instante

_____

_____

_____

---

4. **H.O.T.** Mira las barras de la gráfica de barras. ¿Qué puedes saber acerca de los datos con solo mirar las diferentes longitudes de las barras?

_____

_____

_____

Mira la gráfica de barras y completa.

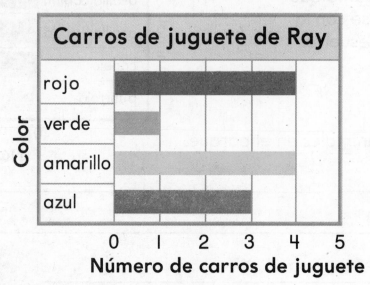

Carros de juguete de Ray

Color

rojo
verde
amarillo
azul

0   1   2   3   4   5

Número de carros de juguete

5. Usa los datos de la gráfica de barras.
Escribe un problema que pueda resolverse
con la suma o con la resta. Luego, resuelve.

Ray tiene estos carros de juguete. _____

_____

_____

Respuesta:_____

6. ⭐ **Preparación para la prueba de TEXAS**   Mira la gráfica de barras
de arriba. ¿Cuál de estas preguntas podría
contestarse con la gráfica de barras?

○ ¿Cuántos carros son del mismo tamaño?

○ ¿Cuántos carros de juguete tiene Ray?

○ ¿Quién tiene más carros rojos que Ray?

ACTIVIDAD PARA LA CASA • Pida a su niño que explique cómo
resolvió alguno de los problemas de esta lección.

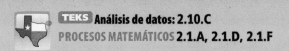

TEKS **Análisis de datos: 2.10.C**
PROCESOS MATEMÁTICOS **2.1.A, 2.1.D, 2.1.F**

Nombre _____

19.5 Usar datos para escribir problemas

Escribe una pregunta que pueda contestarse con la gráfica. Luego, resuelve.

I. Mila recogió estas flores.

_____

_____

_____

Respuesta: _____

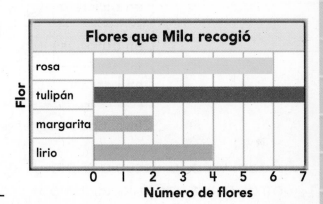

Flores que Mila recogió

Flor	Número de flores
rosa	(hasta 6)
tulipán	(hasta 7)
margarita	(hasta 2)
lirio	(hasta 4)

0 1 2 3 4 5 6 7
Número de flores

Resolución de problemas En el mundo

Mira la gráfica de barras de arriba.

2. **Múltiples pasos** Escribe una pregunta que pueda contestarse con esta oración de suma.

$$4 + 7 = 11$$

_____

_____

3. **Múltiples pasos** Mira las barras de la gráfica de barras. ¿Qué puedes saber acerca de los datos con solo mirar las diferentes longitudes de las barras?

_____

_____

_____

Elige la respuesta correcta.

Cómo vamos a la escuela						
a pie	☺	☺	☺	☺	☺	
en bicicleta	☺	☺				
en autobús	☺	☺	☺	☺	☺	☺
en carro	☺	☺	☺	☺		

Clave: Cada ☺ representa a 1 niño.

4. Adam va a la escuela a pie. ¿Cuántos otros niños van a la escuela a pie?

   ○ 2   ○ 4   ○ 3

5. Beth va a la escuela de la misma manera que lo hacen el mayor número de niños. ¿Cómo va a la escuela Beth?

   ○ a pie

   ○ en bicicleta

   ○ en autobús

6. ¿Cuál de estas preguntas podrías contestar con la pictografía?

   ○ ¿Cuáles de los niños van a la escuela en carro?

   ○ ¿A cuántos niños más les gustaría ir a la escuela a pie?

   ○ ¿Cuántos niños van a la escuela en bicicleta?

Nombre _____

19.6 Gráficas: Escalas de 2 o más

? **Pregunta esencial**

¿De qué manera puedes hacer una gráfica con una escala de 2 o más?

Explora _En el mundo_

Mira la gráfica y resuelve.

Perros que hay en el parque								
negro	▲	▲	▲	▲	▲			
café	▲	▲	▲	▲	▲	▲	▲	
dorado	▲	▲						
blanco	▲	▲	▲					

Clave: Cada ▲ representa 1 perro.

_____ perros de color café

 PARA EL MAESTRO • Lea el siguiente problema: Jason y su papá fueron al parque. Vieron estos perros. ¿Cuántos perros de color café vieron en el parque?

Charla matemática

Procesos matemáticos

¿Cuántos perros de color café y blancos hay en el parque? **Explica** tu respuesta.

Usa los datos de la gráfica de barras para hacer una pictografía.
Presta atención a la escala y a la clave de las gráficas.

Juegos que jugamos					
damas					
ajedrez					
de computadora					
rompecabezas					

Juego

0 2 4 6 8
Número de niños

Juegos que jugamos					
damas	●	●	●		
ajedrez	●				
de computadora	●	●	●	●	
rompecabezas	●	●	●		

Clave: Cada ● representa a 2 niños.

☑ 1. Usa los datos de la pictografía para
hacer una gráfica de barras.

Insectos que hay en el jardín				
abeja	●	●	●	
mariposa	●	●	●	●
mariquita	●	●		
libélula	●			

Clave: Cada ● representa 2 insectos.

Insectos que hay en el jardín					
abeja					
mariposa					
mariquita					
libélula					

Insecto

0 2 4 6 8 10
Número de insectos

2. ¿Cuántas mariquitas hay en el jardín?   _____ mariquitas

_____

☑ 3. ¿Cuántas abejas más que mariquitas
hay en el jardín?

_____ abejas más

Nombre _____

Resolución de problemas

4. **H.O.T.** **Múltiples pasos** Usa los datos de la gráfica de barras para hacer una pictografía.

Matemáticas al instante

Mascota favorita

Mascota		
ave		
gato		
perro		
pez		

0 5 10 15 20 25
Número de niños

_____						
_____						
_____						
_____						

Clave: Cada 😊 **representa a 5 niños.**

5. **H.O.T.** Mira las gráficas de arriba.
Ted piensa que 2 niños más eligieron los perros que las aves. ¿Tiene razón? Explica tu respuesta.

_____

_____

_____

_____

Módulo 19 • Lección 6   seiscientos setenta y siete **677**

© Houghton Mifflin Harcourt Publishing Company

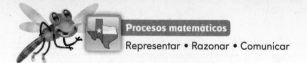
Sigue las instrucciones.

6. Usa la clave. Haz dibujos en la pictografía para mostrar los datos.

Hay 10 gatos blancos en la exhibición.

Hay 6 gatos negros en la exhibición.

Hay 4 gatos de color café en la exhibición.

Gatos que hay en la exhibición					
negro					
café					
blanco					

Colores

Clave: Cada ● representa 2 gatos.

Elige la respuesta correcta.

7. Representaciones Mira la pictografía. ¿Cuántos gatos de color café menos que gatos negros hay en la exhibición?

○ 4
○ 1
○ 2

8. ⭐ **Preparación para la prueba de TEXAS** Mira la gráfica de barras. ¿Cuántos libros leyó Noah?

○ 3
○ 6
○ 4

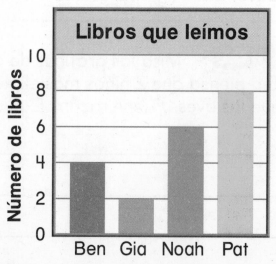

Libros que leímos

Número de libros

ACTIVIDAD PARA LA CASA • Pida a su niño que explique cómo resolvió alguno de los problemas de esta lección.

678 seiscientos setenta y ocho

19.6 Gráficas: Escalas de 2 o más

I. Usa los datos de la pictografía para hacer una gráfica de barras.

Animal de peluche favorito				
oso	☺	☺	☺	☺
perrito	☺	☺		
gatito	☺	☺	☺	
pingüino	☺	☺		

Clave: Cada ☺ representa a 5 niños.

Animal de peluche favorito					
oso					
perrito					
gatito					
pingüino					

Animal (eje vertical)

0   5   10   15   20   25
Número de niños

---

2. ¿Cuántos niños eligieron los perritos y los osos?

_____ niños

Resolución de problemas En el mundo

Mira las gráficas de arriba.

3. **Múltiples pasos** Andy piensa que 1 niño menos eligió los gatitos que los osos. ¿Tiene razón? Explica tu respuesta.

_____

_____

_____

Repaso de la lección

Elige la respuesta correcta.

4. Mira la gráfica de barras. ¿Cuántos adhesivos de banderas tiene Kyle?

   ○ 3

   ○ 6

   ○ 4

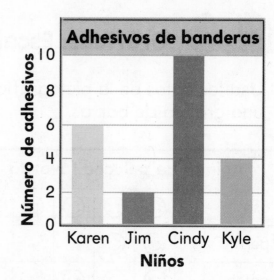

Rosa hizo una pictografía para anotar los colores de las bicicletas que ve en el parque.

Colores de bicicletas					
rojo					
negro					
azul					
rosado					

Color

Clave: Cada ◯ representa 2 bicicletas.

5. Hay 8 bicicletas de color negro en el parque. ¿Cuántos ◯ dibujará Rosa para mostrar las bicicletas de color negro?

   ○ 8   ○ 2   ○ 4

6. Rosa dibujó 3 ◯ en la hilera de las bicicletas de color rosado. ¿Cuántas bicicletas de color rosado vio en el parque?

   ○ 6   ○ 2   ○ 3

680 seiscientos ochenta

Nombre _____

19.7 Conclusiones y predicciones

 Pregunta esencial

¿De qué manera puedes usar los datos de una gráfica para sacar conclusiones y hacer predicciones?

Explora En el mundo

Dibuja para completar la gráfica. Luego, mira la gráfica y resuelve.

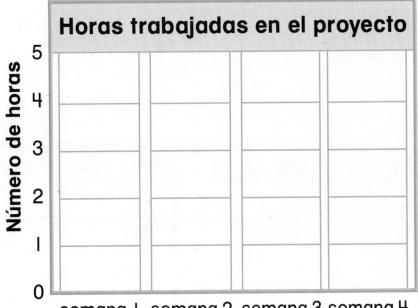

Horas trabajadas en el proyecto

Número de horas

5
4
3
2
1
0

semana 1   semana 2   semana 3   semana 4

Nathan trabajó más horas en la semana _____ que en la semana _____.

 PARA EL MAESTRO • Lea el siguiente problema: En la semana 1 Nathan trabajó 1 hora en su proyecto. En la semana 2 trabajó 2 horas. En la semana 3 trabajó 4 horas. En la semana 4 trabajó 3 horas. ¿Nathan trabajó más horas en su proyecto en la semana 3 o en la semana 4?

Charla matemática
Procesos matemáticos
Describe de qué manera usaste la gráfica de barras para resolver el problema.

Representa y dibuja

Usa los datos para sacar una **conclusión**.

Describe el cambio que los datos muestran.

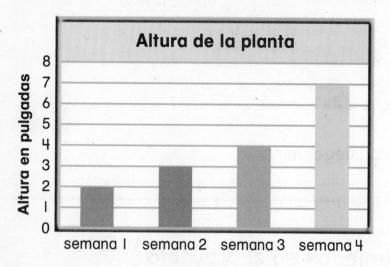

Altura de la planta

Altura en pulgadas

8
7
6
5
4
3
2
1
0

semana 1   semana 2   semana 3   semana 4

Usa los datos para **predecir**. ¿Qué altura piensas que tendrá la planta en la semana 5?

La altura de la planta _____

_____

Comparte y muestra

MATH BOARD

☑ 1. Mira la gráfica. Describe el cambio que los datos muestran.

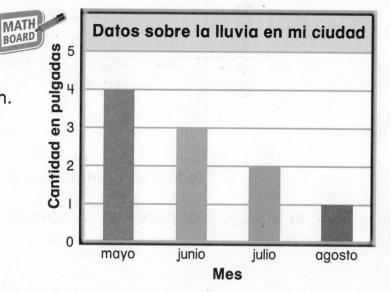

Datos sobre la lluvia en mi ciudad

Cantidad en pulgadas

5
4
3
2
1
0

mayo   junio   julio   agosto

Mes

La cantidad de lluvia que cayó _____

_____

_____

Nombre _____

Mira la gráfica y resuelve.

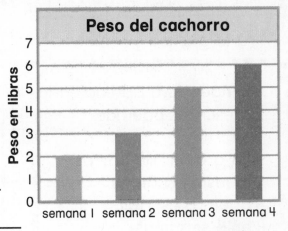

Peso del cachorro

2. **H.O.T.** **Múltiples pasos** Describe el cambio que los datos muestran.

El peso del cachorro _____

_____

_____

Predice. ¿Cuántas libras pesará

el cachorro en la semana 5?   _____ libras

Matemáticas al instante

Mira la gráfica y resuelve.

3. Bianca está aprendiendo a tocar la guitarra. Describe el cambio que los datos muestran.

La cantidad de tiempo de práctica

_____

_____

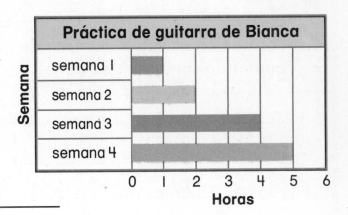

Práctica de guitarra de Bianca

4. **H.O.T.** **Múltiples pasos** ¿Por qué piensas que el número de horas cambió de semana a semana?

_____

_____

Predice. ¿Cuántas horas podría practicar

Bianca en la semana 5?   _____ horas

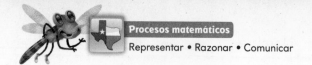

Mira la gráfica y resuelve.

Ginger está aprendiendo a escribir poemas.

La gráfica de barras muestra cuántos poemas escribió en 4 semanas.

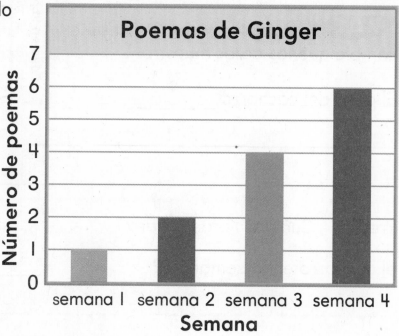

Poemas de Ginger

Número de poemas / Semana

semana 1 semana 2 semana 3 semana 4

5. ¿Por qué crees que el número de poemas cambió de semana a semana?

_____

_____

Predice. ¿Cuántos poemas podría escribir Ginger en la semana 5?   _____ poemas

6. ⭐ **Preparación para la prueba de TEXAS**   Mira la gráfica de barras de arriba. ¿Cuál de estas oraciones describe el cambio que los datos muestran?

○ El número de poemas disminuyó.

○ El número de poemas se mantuvo igual.

○ El número de poemas aumentó.

ACTIVIDAD PARA LA CASA • Pida a su niño que explique cómo resolvió alguno de los problemas de esta lección.

Nombre _____

19.7 Conclusiones y predicciones

1. Mira la gráfica y resuelve. Describe el cambio que los datos muestran.

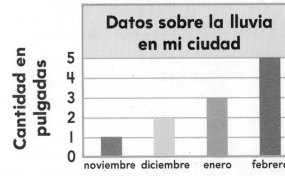

Datos sobre la lluvia en mi ciudad

Cantidad en pulgadas

5
4
3
2
1
0

noviembre   diciembre   enero   febrero

La cantidad de lluvia que cayó _____

_____

Resolución de problemas En el mundo

Mira la gráfica y resuelve.

2. **Múltiples pasos** Jonathan está aprendiendo a tocar el piano. Describe el cambio que los datos muestran.

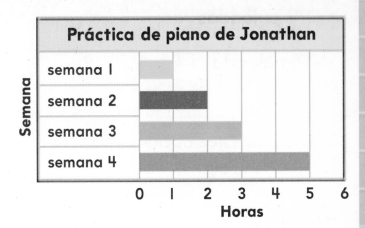

Práctica de piano de Jonathan

Semana

semana 1
semana 2
semana 3
semana 4

0   1   2   3   4   5   6
Horas

La cantidad de tiempo de práctica

_____

_____

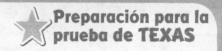
Elige la respuesta correcta.

3. Eddie midió el crecimiento de la flor durante 4 semanas. ¿Qué altura tenía la flor en la semana 3?

   ○ 8 pulgadas

   ○ 4 pulgadas

   ○ 6 pulgadas

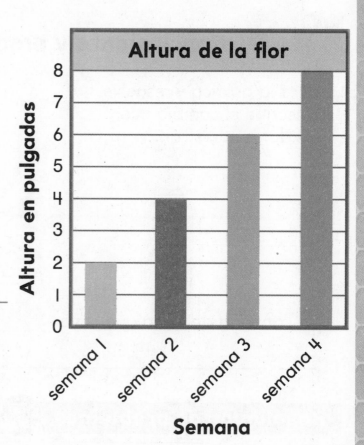

4. Eddie predijo la altura de la flor en la semana 5. ¿Cuál es la mejor predicción?

   ○ 6 pulgadas

   ○ 9 pulgadas

   ○ 1 pulgada

5. ¿Cuál de estas opciones describe el cambio que los datos muestran?

   ○ La altura de la flor aumentó.

   ○ La altura de la flor se mantuvo igual.

   ○ La altura de la flor disminuyó.

Nombre _____

 Evaluación de la Unidad 5

Conceptos y destrezas

I. Usa la tabla de conteo para completar la pictografía.
Dibuja una 😊 por cada ave. ➤ TEKS 2.10.B

Aves contadas en el parque	
Niño	**Conteo**
Reggie	IIII
Kate	⊪⊦⊦
Ted	II
Mandy	IIII

Aves contadas en el parque				
Reggie				
Kate				
Ted				
Mandy				

Clave: Cada 😊 representa 1 ave.

---

2. Mira la pictografía. ¿Cuántas aves
contó Kate? ➤ TEKS 2.10.A

_____ aves

---

3. Usa los datos de la gráfica. Escribe un problema
que pueda resolverse con la suma o con la resta.
Luego, resuelve. ➤ TEKS 2.10.C

_____

_____

_____

_____

Respuesta: _____

Unidad 5   seiscientos ochenta y siete **687**

© Houghton Mifflin Harcourt Publishing Company

Rellena el círculo de la respuesta correcta.

4. La gráfica de barras muestra las canicas que Bev puso en una bolsa. ¿Cuántas canicas azules más que canicas verdes hay? TEKS 2.10.A

   ○ 3
   ○ 2
   ○ 4

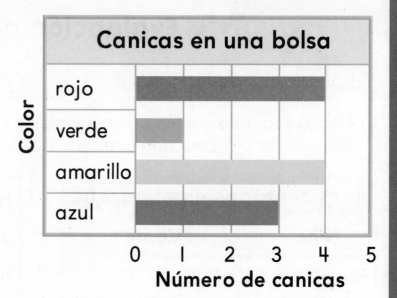

5. La gráfica de barras muestra los datos sobre la lluvia que cayó en la ciudad de Sara. ¿Cuál de estas opciones describe el cambio que los datos muestran?

   ⬇ TEKS 2.10.D

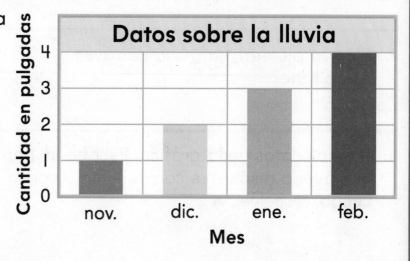

   ○ La cantidad de lluvia se mantuvo igual.
   ○ La cantidad de lluvia disminuyó.
   ○ La cantidad de lluvia aumentó.

Rellena el círculo de la respuesta correcta.

6. El Sr. Green hizo esta pictografía. ¿Cuántos libros menos que Tony leyó Joy? 🔻 TEKS 2.10.A

   ○ 4

   ○ 2

   ○ 3

Libros que leímos				
Joy	📖			
Dave	📖	📖	📖	📖
Sasha	📖	📖	📖	
Tony	📖	📖	📖	📖

Clave: Cada 📖 representa 1 libro.

7. ¿Cuántas tarjetas hizo Fran? 🔻 TEKS 2.10.B

   ○ 8

   ○ 10

   ○ 6

Tarjetas que hicimos				
James	☺	☺	☺	☺
Fran	☺	☺	☺	
Gina	☺	☺	☺	☺	☺
Pat	☺	☺			

Clave: Cada ☺ representa 2 tarjetas.

8. Mira la gráfica de barras. ¿Cuántos crisantemos hay en la canasta? 🔻 TEKS 2.10.B

   ○ 8

   ○ 4

   ○ 6

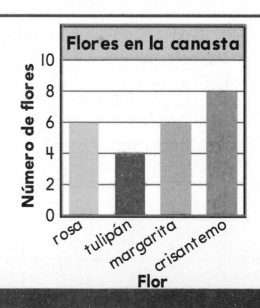

Flores en la canasta

Usa esta información para resolver los ejercicios.

- Hay 12 canicas en el frasco.

- Hay el mismo número de canicas rojas que de canicas azules.

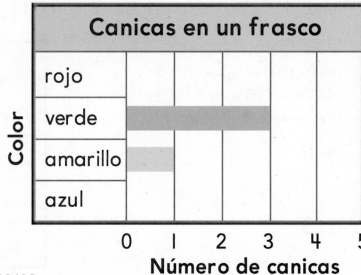

9. Dibuja barras en la gráfica para representar las canicas rojas y las canicas azules. 🔻 TEKS 2.10.B

10. Explica de qué manera decidiste la longitud que debían tener las barras de las canicas rojas y de las canicas azules. 🔻 TEKS 2.10.A

_____

_____

_____

_____

11. Escribe tres oraciones para describir y comparar los datos de la gráfica de barras. 🔻 TEKS 2.10.A

_____

_____

_____

_____

_____

Unidad 6

Comprensión de finanzas personales

Muestra lo que sabes ✓

Comprueba si comprendes las destrezas importantes.

Nombre _____

Monedas de 1¢ y de 10¢

Escribe el valor total de las monedas.

1.   _____

2.   _____

Un dólar

Encierra en un círculo las monedas necesarias para formar $1.00. Tacha con una X las monedas que no uses.

3.

Representar y anotar la resta de 2 dígitos

Haz un dibujo sencillo y resuelve. Escribe la diferencia.

4.
$$
\begin{array}{r}
54 \\
-27 \\
\hline
\end{array}
$$

Decenas	Unidades

5.
$$
\begin{array}{r}
48 \\
-13 \\
\hline
\end{array}
$$

Decenas	Unidades

 NOTA PARA LA FAMILIA: El propósito de esta página es comprobar si su niño comprende las destrezas importantes que se necesitan para tener éxito en la Unidad 6.

APRENDE EN LÍNEA

Opciones de evaluación: **Soar to Success Math**

© Houghton Mifflin Harcourt Publishing Company

seiscientos noventa y uno **691**

Desarrollo del vocabulario

Palabras de repaso

centavos
moneda de 1¢
moneda de 5¢
moneda de 10¢
moneda de 25¢

Visualizar

Completa los recuadros del organizador
gráfico con el nombre de cada moneda.

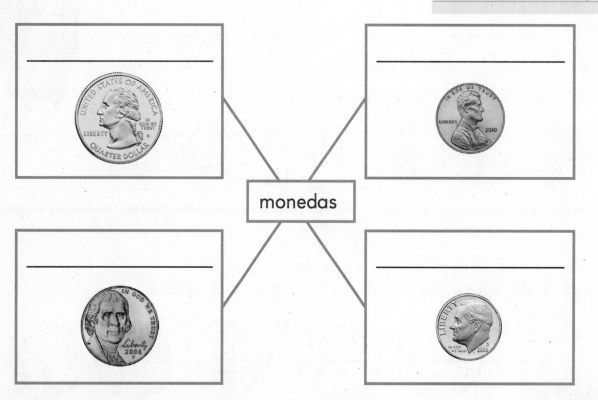

monedas

Comprender el vocabulario

Completa cada oración con una palabra de repaso.

1. Dos _____ tienen un valor de 20 **centavos.**

2. Cuatro _____ tienen un valor de 4 **centavos.**

3. Tres _____ tienen un valor de 75 **centavos.**

4. Dos _____ tienen un valor de 10 **centavos.**

- **Libro interactivo del estudiante**
- **Glosario multimedia**

APRENDE EN LÍNEA

692 seiscientos noventa y dos

© Houghton Mifflin Harcourt Publishing Company

Diez huevos en una canasta

escrito por J. D. McDonnell
ilustrado por Sofía Balzola

Este librito para la casa pertenece a:

_____

Lectura y redacción de matemáticas

Este librito para la casa te servirá para repasar el conteo de diez en diez.

PROCESOS MATEMÁTICOS 2.1.A, 2.1.E, 2.1.F, 2.1.G

¡Cuánto trabajan las gallinas de Benito!
Contar todos sus huevos nos llevará un buen ratito.

Benito vende los huevos en canastitas de a diez,
las gallinas los pusieron rapidito cada vez.

¿Cuántos huevos hay en el estante?

¿Cuántos huevos hay sobre la mesa?

¿Cuántos huevos hay para vender en total?

Benito recoge huevos todos los días del mes,
y los pone en canastitas contando de diez en diez.
Luego arma el puesto y espera a sus clientes;
todo se acaba pronto porque llega mucha gente.

Encierra en un círculo los grupos de diez huevos.

¿Cuántas canastitas necesitará Benito? ————

Se busca

10 10 10

Una noche al gallinero una zorra se metió,

y a todas las gallinitas la malvada asustó.

Por la mañana Benito menos huevos encontró.

¿Cuántos huevos pusieron las gallinas ese día? _____

OFERTA

Dos
canastas al
precio
de una

Por suerte la zorra se fue para no volver.
Las gallinas, contentas, regresaron a poner.
Ahora hay decenas de huevos,
¿alguien lo puede creer?

Tres gallinas de Benito pusieron muchísimos
huevos. Vamos a contarlos.
Encierra en un círculo las decenas de huevos.
¿Cuántos huevos puso cada una?

Luisa _____ Penny _____ Helen _____

Escribe sobre las matemáticas

Escribe Mira la ilustración de Benito y los huevos que vende. Escribe tu propio problema sobre algo que podrías vender en grupos de decenas e ilústralo.

Repaso del vocabulario

decenas

centena

Huevos
frescos

_____

_____

_____

_____

_____

_____

Grupos de decenas

Mira esta ilustración para contestar las preguntas.

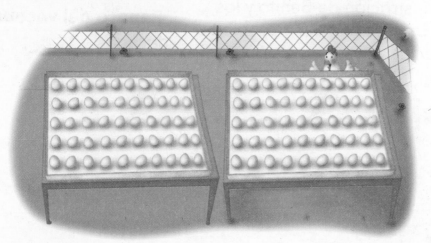

1. Encierra en un círculo los grupos de 10 huevos. ¿Cuántos grupos de 10 huevos hay sobre las mesas?

   _____ grupos de 10 huevos

2. ¿Cuántos huevos hay en total?

   _____ huevos

3. ¿Cuántos huevos hay sobre cada mesa?

   _____ huevos

4. Si contaras de 10 en 10 para hallar el número total de huevos que hay sobre las mesas, ¿qué patrón de conteo usarías?

   _____

MATH BOARD Escribe un problema sobre una venta de huevos. Usa $1 como precio de venta de cada grupo de 10 huevos. Pide a un compañero que resuelva el problema.

Resolución de problemas

Mira las monedas para contestar la pregunta.

3. Kim recibió una moneda de 25¢ cada semana durante 4 semanas. Ahorró 3 monedas de 25¢ y gastó 1 moneda de 25¢. ¿Cuánto dinero tiene ahora?

_____

Dibuja las monedas y resuelve.

4. **H.O.T.** **Múltiples pasos** Theo recibió una moneda de 10¢ y una moneda de 5¢ cada semana durante 4 semanas. Gastó 15¢ y ahorró el resto. ¿Cuánto dinero tiene ahora?

_____

5. **H.O.T.** **Múltiples pasos** Kendra recibió 4 monedas de 5¢ cada semana durante 3 semanas. Ahorró la mitad del dinero y gastó el resto. ¿Cuánto dinero gastó?

_____

Elige la respuesta correcta.

6. **Múltiples pasos** Larry gana 50¢ a la semana. Quería comprar un libro que costaba 75¢. Después de dos semanas, compró el libro y ahorró el dinero que le sobró. ¿Cuánto dinero ahorró?

○ 50¢

○ 25¢

○ $1.00

7. Wendy ganó 90¢. Explica por qué podría ahorrar el dinero en lugar de gastarlo.

_____

_____

_____

_____

8. ⭐ **Preparación para la prueba de TEXAS** Alex tenía estas monedas. Gastó 10¢ y ahorró el resto. ¿Cuánto dinero ahorró?

○ 55¢

○ 60¢

○ 45¢

ACTIVIDAD PARA LA CASA • Pida a su niño qué explique lo que aprendió en esta lección.

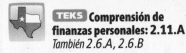

TEKS Comprensión de
finanzas personales: 2.11.A
También 2.6.A, 2.6.B
PROCESOS MATEMÁTICOS
2.1.A, 2.1.D, 2.1.E

20.2 Ahorrar suma

? **Pregunta esencial**

¿Qué sucede cuando ahorras dinero durante un tiempo?

Explora **En el mundo**

Mira el calendario y resuelve el problema.

Mayo

dom.	lun.	mar.	mié.	jue.	vie.	sáb.
			1	2	3	4
5	6	7	8	9	10	11
12	13	14	15	16	17	18
19	20	21	22	23	24	25
26	27	28	29	30	31	

_____

Charla matemática

Procesos matemáticos

¿Hay más de una manera de resolver este problema? **Explica** tu respuesta.

PARA EL MAESTRO • Lea el siguiente problema a los niños: Haley recibió una moneda de 5¢ cada lunes y cada viernes de mayo. ¿Cuánto dinero recibió Haley en mayo? Pida a los niños que, por escrito y con un dibujo, muestren de qué manera resolvieron el problema.

Representa y dibuja

Tom gana 4 dólares al mes por ayudar a su papá. Si no gasta nada de ese dinero, ¿cuánto puede ahorrar?

Cuenta salteado o suma los grupos iguales para hallar el total.

En 2 meses:

Puede ahorrar _____.

En 5 meses:

Puede ahorrar _____.

Comparte y muestra

Resuelve. Muestra el problema con un dibujo.

1. Abby ahorra 2 dólares a la semana. ¿Cuánto dinero ahorrará en 4 semanas?

_____

2. Henry ahorra 5 dólares al mes. ¿Cuánto dinero ahorrará en 5 meses?

_____

TEKS Comprensión de finanzas personales: 2.11.A
También 2.6.A, 2.6.B
PROCESOS MATEMÁTICOS
2.1.A, 2.1.D, 2.1.E

20.2 Ahorrar suma

? **Pregunta esencial**

¿Qué sucede cuando ahorras dinero durante un tiempo?

Explora *En el mundo*

Mira el calendario y resuelve el problema.

Mayo

dom.	lun.	mar.	mié.	jue.	vie.	sáb.
			1	2	3	4
5	6	7	8	9	10	11
12	13	14	15	16	17	18
19	20	21	22	23	24	25
26	27	28	29	30	31	

_____

PARA EL MAESTRO • Lea el siguiente problema a los niños: Haley recibió una moneda de 5¢ cada lunes y cada viernes de mayo. ¿Cuánto dinero recibió Haley en mayo? Pida a los niños que, por escrito y con un dibujo, muestren de qué manera resolvieron el problema.

Charla matemática
Procesos matemáticos
¿Hay más de una manera de resolver este problema? Explica tu respuesta.

Tom gana 4 dólares al mes por ayudar a su papá. Si no gasta nada de ese dinero, ¿cuánto puede ahorrar?

Cuenta salteado o suma los grupos iguales para hallar el total.

En 2 meses:

Puede ahorrar _____.

En 5 meses:

Puede ahorrar _____.

Comparte y muestra

Resuelve. Muestra el problema con un dibujo.

1. Abby ahorra 2 dólares a la semana.
   ¿Cuánto dinero ahorrará en 4 semanas?

   _____

2. Henry ahorra 5 dólares al mes.
   ¿Cuánto dinero ahorrará en 5 meses?

   _____

Nombre _____

Resolución de problemas

Resuelve. Muestra el problema con un dibujo.

3. La clase de la Sra. Bailey ahorra 10 dólares al mes para organizar una fiesta. ¿Cuánto ahorrará en 6 meses?

_____

Resuelve. Explica por escrito o con un dibujo.

4. **H.O.T.** Shelly quiere comprar un libro que cuesta 10 dólares. Si ahorra 2 dólares a la semana, ¿cuánto tiempo le tomará ahorrar el dinero suficiente para comprar el libro?

_____

5. **H.O.T.** **Múltiples pasos** Un juego cuesta 23 dólares. Si Davis ahorra 3 dólares a la semana, ¿cuánto tiempo le tomará ahorrar el dinero suficiente para comprar el juego? ¿Cuánto dinero le sobrará?

_____

Elige la respuesta correcta.

6. Aplica Dani gana 4 dólares a la semana. Cada semana gasta 2 dólares y ahorra el resto. ¿Cuánto dinero ahorrará en 3 semanas?

- ○ 6 dólares
- ○ 12 dólares
- ○ 9 dólares

7. Razonamiento Max gana 3 dólares a la semana. Si ahorra todo el dinero, ¿cuántas semanas le tomará ahorrar 15 dólares?

Muestra el problema con un dibujo.

Le tomará _____ ahorrar 15 dólares.

Explica de qué manera puede usarse la estrategia de contar salteado para hallar la cantidad total ahorrada.

_____

_____

8. Rita ahorra 5 dólares al mes. ¿Cuánto ahorrará en 4 meses?

- ○ 9 dólares
- ○ 20 dólares
- ○ 15 dólares

ACTIVIDAD PARA LA CASA • Pida a su niño que explique lo que aprendió en esta lección.

Tarea y práctica

TEKS Comprensión de finanzas personales: 2.11.A
También 2.6.A, 2.6.B
PROCESOS MATEMÁTICOS 2.1.A, 2.1.D, 2.1.E

Nombre _____

20.2 Ahorrar suma

Resuelve. Muestra el problema con un dibujo.

1. Tess gana 6 dólares al mes por ayudar a su mamá.
   Si no gasta nada de ese dinero, ¿cuánto ahorrará
   en 2 meses?

   _____

2. La familia de Ryan ahorra 20 dólares al mes
   para irse de vacaciones. ¿Cuánto dinero
   ahorrará la familia en 5 meses?

   _____

Resolución de problemas En el mundo

3. **Múltiples pasos** Una pelota de fútbol cuesta 22 dólares.
   Martín planea ahorrar 4 dólares a la semana. ¿Cuánto
   tiempo le tomará ahorrar el dinero suficiente para
   comprar la pelota de fútbol?

   _____

Elige la respuesta correcta.

4. Karen ahorra 3 dólares al mes. ¿Cuánto dinero ahorrará en 3 meses?

○ 6 dólares

○ 9 dólares

○ 8 dólares

5. Greg gana 4 dólares a la semana. Planea ahorrar todo el dinero. ¿Cuántas semanas le tomará ahorrar 20 dólares?

○ 5 semanas

○ 16 semanas

○ 4 semanas

6. Linn gana 5 dólares a la semana. Quiere ahorrar todo el dinero. ¿Cuánto dinero ahorrará en 2 semanas?

○ 6 dólares

○ 4 dólares

○ 10 dólares

7. **Múltiples pasos** Tony gana 6 dólares a la semana. Cada semana gasta 1 dólar y ahorra el resto. Quiere comprar una pelota de fútbol americano que cuesta 25 dólares. ¿Cuántas semanas le tomará ahorrar el dinero suficiente para comprarla?

○ 4 semanas

○ 6 semanas

○ 5 semanas

Resolución de problemas

Resuelve. Muestra la suma o la resta.

3. La Sra. Green tenía $58 en el banco. Hizo un depósito de $14. ¿Cuánto dinero tiene en el banco ahora?

_____

4. El Sr. Walton tenía $63 en el banco. Hizo un retiro de $9. ¿Cuánto dinero tiene en el banco ahora?

_____

Resuelve. Explica por escrito o con un dibujo.

5. **H.O.T.** Tyler hizo un retiro de $13. Ahora tiene $33 en el banco. ¿Cuánto dinero tenía en el banco al comienzo?

Matemáticas al instante

_____

6. **H.O.T.** **Múltiples pasos** Gina tiene $23 en el banco. ¿Cuántos depósitos de $5 debe hacer para que haya $43 en el banco?

_____ depósitos de $5 cada uno

Elige la respuesta correcta.

7. **Aplica** Sasha tenía $13 en el banco. Luego, depositó $4. ¿Cuánto dinero tiene Sasha en el banco ahora?

○ $17

○ $9

○ $11

8. **Analiza** Tom tenía $9 en el banco. Retiró $3. Luego, depositó $4. ¿Cuánto dinero tiene Tom en el banco ahora?

○ $9

○ $16

○ $10

9. Describe en qué se diferencian un depósito y un retiro.

_____

_____

_____

10. ⭐ **Preparación para la prueba de TEXAS** La Sra. Hall tenía $43 en el banco. Hizo un depósito de $12. ¿Cuánto dinero tiene en el banco ahora?

○ $55

○ $31

○ $35

ACTIVIDAD PARA LA CASA • Pida a su niño que explique lo que aprendió en esta lección.

TEKS Comprensión de
finanzas personales: 2.11.D
También 2.4.B
PROCESOS MATEMÁTICOS
2.1.A, 2.1.D, 2.1.G

20.4 Pedir un préstamo de dinero

? Pregunta esencial

¿Qué significa pedir un préstamo de dinero?

Explora En el mundo

Muestra la suma o la resta de cada problema.

Jackson tenía $28 en el banco. Hizo un depósito de $3.	Lynn tenía $23 en el banco. Hizo un retiro de $3.
Ahora tiene _____ en el banco.	Ahora tiene _____ en el banco.

PARA EL MAESTRO • Lea cada problema con los niños. Señale que tendrán que sumar o restar para hallar la cantidad.

Charla matemática
Procesos matemáticos

Explica cómo decidiste si debías sumar o restar para resolver cada problema.

Representa y dibuja

A veces las personas deben **pedir un préstamo** cuando necesitan más dinero del que tienen.

Brian tiene 45¢. Quiere comprar un bolígrafo que cuesta 85¢. Necesita pedir un préstamo. ¿Cuánto dinero debe pedir prestado?

$$85¢$$
$$- 45¢$$

Entonces, debe pedir prestado _____.

Cuando pides un préstamo, planeas devolver más tarde lo que pediste prestado.

Comparte y muestra

Resuelve. Muestra tu trabajo.

1. Wendy tiene 75¢. Quiere comprar un bocadillo que cuesta 90¢. ¿Cuánto dinero debe pedir prestado?

_____

2. Carl tiene $4. Quiere comprar un libro que cuesta $6. ¿Cuánto dinero debe pedir prestado?

_____

3. Molly comparte su bocadillo con Ted. ¿Es un ejemplo de pedir un préstamo? Explica tu respuesta.

_____

_____

_____

4. Describe una situación en la que hayas pedido un préstamo.

_____

_____

Nombre _____

Resuelve. Muestra tu trabajo.

5. Gino tiene 63¢. Quiere compra[r]
un rompecabezas que cuesta 95¢.
¿Cuánto dinero debe pedir
prestado?

_____

Usa la información para resolver
los problemas.

Hoy Jenna tiene $5. Puede g[a]nar $2
a la semana por ayudar a [su] mamá.

- comprar un juguete que cuesta $35
- comprar un libro que cuesta $6
- comprar un juego que cuesta $30
- comprar un regalo que cuesta $8

6. **H.O.T.** Mira las c[uatro] opciones de la lista.
¿Cuál es una buena r[azón] para que Jenna
pida un préstamo de [diner]o? Explica por qué.

_____

_____

_____

7. **H.O.T.** [múlti]ples pasos ¿Cuál no sería una buena razón para
que Jenna [pid]a un préstamo de dinero? Explica tu respuesta.

_____

_____

_____

Si Jenna pide el préstamo, ¿cuánto tiempo le tomará ganar
el dinero suficiente para devolverlo?

_____

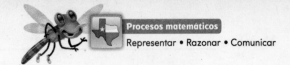

Elige la respuesta correcta.

8. Wesley quiere comprar un juego que cuesta 84¢. Tiene 59¢. ¿Cuánto dinero debe pedir prestado para comprar el juego?

- ○ 35¢
- ○ 48¢
- ○ 25¢

9. Describe dos ejemplos de situaciones en las que se pida un préstamo.

_____

_____

_____

_____

10. Lee estos ejemplos de situaciones en las que se pide algo prestado. Encierra en un círculo los ejemplos positivos. Tacha con una línea los ejemplos negativos.

- pedir prestado un lápiz y devolverlo roto
- pedir prestado un libro y devolverlo unos días más tarde
- pedir prestada una cantidad de dinero que tomará mucho tiempo devolver
- pedir prestado un dólar y devolverlo al día siguiente
- pedir prestada una bufanda y lavarla antes de devolverla

11. ⭐ **Preparación para la prueba de TEXAS** Andrea tiene 46¢. Quiere comprar un marcador que cuesta 72¢. ¿Cuánto dinero debe pedir prestado?

- ○ 26¢
- ○ 36¢
- ○ 34¢

ACTIVIDAD PARA LA CASA • Pida a su niño que explique lo que aprendió en esta lección.

Tarea y práctica

Nombre _____

20.4 Pedir un préstamo de dinero

Resuelve. Muestra tu trabajo.

1. Gary tiene 49¢. Quiere comprar un marcador que cuesta 85¢. ¿Cuánto dinero debe pedir prestado?

   _____

2. Ellie tiene $7. Quiere comprar un juego que cuesta $12. ¿Cuánto dinero debe pedir prestado?

   _____

Resolución de problemas

Usa la información para resolver los problemas.

Hoy Kate tiene $5. Puede ganar $3 a la semana por cuidar de su hermana.

- comprar un juego que cuesta $45
- comprar un álbum que cuesta $8
- comprar un suéter que cuesta $50
- comprar un regalo que cuesta $10

3. **Múltiples pasos** Mira las cuatro opciones de la lista. ¿Cuál es una buena razón para que Kate pida un préstamo de dinero? Explica tu respuesta.

   _____

   _____

   _____

   Si Kate pide un préstamo, ¿cuánto tiempo le tomará ganar el dinero suficiente para devolverlo?

   _____

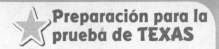
Elige la respuesta correcta.

4. Paul tiene 37¢. Quiere comprar un bolígrafo que cuesta 81¢. ¿Cuánto dinero debe pedir prestado?

- ○ 44¢
- ○ 56¢
- ○ 54¢

5. Alice quiere comprar un collar que cuesta 96¢. Tiene 67¢. ¿Cuánto dinero debe pedir prestado?

- ○ 39¢
- ○ 29¢
- ○ 31¢

6. **Múltiples pasos** Jacob tiene 3 monedas de 10¢ y 4 monedas de 5¢. Quiere comprar un libro que cuesta 95¢. ¿Cuánto dinero debe pedir prestado?

- ○ 35¢
- ○ 60¢
- ○ 45¢

7. ¿Cuál es un ejemplo positivo de la manera de actuar cuando se pide algo prestado?

- ○ pedir prestada una bicicleta y devolverla rota
- ○ pedir prestados $2 y devolverlos al día siguiente
- ○ pedir prestados $2 y tomarse mucho tiempo para devolverlos

Nombre _____

Resolución de problemas

Haz un dibujo para ilustrar el problema. Muestra tu respuesta por escrito.

4. El Sr. Soto le prestó $12 al Sr. Hunter.
El Sr. Hunter planea pagar $4 al
Sr. Soto cada semana. ¿Cuánto tiempo
le tomará al Sr. Hunter devolver los $12?

_____

_____.

Usa la información para resolver los problemas. Muestra tu trabajo.

> Alex quiere que su mamá le preste $20. Alex
> gana $3 a la semana por ayudar en su casa.

5. **H.O.T.** Imagina que Alex gasta $1 a la
semana en bocadillos. ¿Cuánto le tomará
a Alex devolver los $20 a su mamá?

A Alex le tomará _____ devolver los $20 a su mamá.

---

6. **H.O.T.** **Múltiples pasos** Imagina que la mamá
necesita que Alex le devuelva los $20 en 5 semanas.
Alex puede darle $3 cada semana. ¿La mamá debe
prestarle los $20? Muestra tu respuesta por escrito.
Explica por qué tu respuesta es correcta.

_____

_____

_____

Tarea diaria de evaluación

Procesos matemáticos
Representar • Razonar • Comunicar

Elige la respuesta correcta.

7. Nelson le hizo un préstamo de dinero a Josh. Josh le devolvió $2 cada semana durante 5 semanas. ¿Cuánto dinero le prestó Nelson a Josh?

○ $10
○ $3
○ $7

8. ¿Cuál es un ejemplo de una situación en la que se hace un préstamo? Enciérrala en un círculo.

Rachel usó una entrada de cine que Jim le dio.

William le dio 50¢ a Sara y la niña le devolverá el dinero mañana.

9. Muestra tus ideas Imagina que un compañero te pide que le prestes uno de tus juegos o juguetes. Escribe tu respuesta.

¿Por qué esta podría ser una buena idea?

_____

_____

¿Por qué esta podría ser una mala idea?

_____

_____

10. **Preparación para la prueba de TEXAS** Cathy le prestó $8 a Jan. Jan puede devolver a Cathy $2 cada semana. ¿Cuánto le tomará a Jan devolver el dinero a Cathy?

○ 6 semanas
○ 2 semanas
○ 4 semanas

ACTIVIDAD PARA LA CASA • Pida a su niño que explique lo que aprendió en esta lección.

730 setecientos treinta

© Houghton Mifflin Harcourt Publishing Company

TEKS Comprensión de finanzas personales: 2.11.E
También 2.4.B
PROCESOS MATEMÁTICOS 2.1.A, 2.1.D, 2.1.G

Nombre _____

20.5 Hacer un préstamo de dinero

Haz un dibujo para ilustrar el problema.
Muestra tu respuesta por escrito.

1. El Sr. Harris le prestó $20 al Sr. Gray.
   El Sr. Gray planea pagar $5 al Sr. Harris
   cada semana. ¿Cuánto tiempo le tomará
   al Sr. Gray devolver los $20?

   _____

   _____

2. Roy le prestó $15 a Gracie. Gracie planea
   pagar $3 a Roy cada semana. ¿Cuánto
   tiempo le tomará a Gracie devolver los $15?

   _____

   _____

Resolución de problemas

3. **Múltiples pasos** Amir quiere que Joy le preste $10. Joy necesita que Amir
   le devuelva el dinero en 2 semanas. Amir puede darle $4 cada semana.
   ¿Debería Joy prestarle el dinero a Amir? Explica tu respuesta.

   _____

   _____

   _____

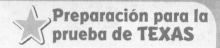

Elige la respuesta correcta.

4. Sara le prestó $12 a Jen. Jen puede devolver a Sara $4 cada semana. ¿Cuántas semanas le tomará a Jen devolver el dinero a Sara?

   ○ 4 semanas

   ○ 2 semanas

   ○ 3 semanas

5. Nate le hizo un préstamo de dinero a Rick. Rick le devolvió $2 cada semana durante 7 semanas. ¿Cuánto dinero le prestó Nate a Rick?

   ○ $14

   ○ $9

   ○ $12

6. Laura le prestó $8 a Tom. Tom puede devolver a Laura $1 cada semana. ¿Cuántas semanas le tomará a Tom devolver todo el dinero a Laura?

   ○ 7 semanas

   ○ 8 semanas

   ○ 5 semanas

7. Andy le prestó $18 a Mary. Mary le pagó a Andy la misma cantidad de dinero cada semana y le devolvió todo el dinero en 2 semanas. ¿Cuánto dinero le pagó Mary a Andy cada semana?
   Muestra tu respuesta por escrito.

   _____

   _____

   _____

20. ción de problemas

Pregu al productor y al consumidor.
a lo que cada uno tenía al comienzo y lo que tiene al final.

Parker tenía $42. Gastó $15 en materiales.
go, hizo un bote de juguete. El Sr. Ward tenía $35 y
npró el bote de juguete por $20.

M**ductor:** _____ po	**consumidor:** _____
comienzo tenía	Al comienzo tenía
_____.	_____.
l final tiene	Al final tiene
_____.	_____.

a la información para resolver
problemas.

> El Sr. Lex trabaja en una carpintería. Tenía $53. Gastó $18 en madera y $2 en clavos. Luego, hizo 4 portarretratos.

4. **H.O.T.** **Múltiples pasos** ¿Cuál es la cantidad total de dinero por la que el Sr. Lex debería vender los portarretratos para tener $63 al final?

Matemáticas al instante

_____

5. **H.O.T.** **Múltiples pasos** ¿Cuánto dinero gastó el Sr. Lex en los materiales que necesitaba para hacer cada portarretratos?

_____

Tarea diaria de evaluación

Elige la respuesta correcta.

6. El Sr. Reed hizo un portarretratos en su tienda. Le vendió el portarretratos al Sr. Tyson por $10. ¿Quién es el consumidor?

○ el Sr. Tyson

○ el Sr. Reed

○ el Sr. Tyson y el Sr. Reed

7. Analiza Paul tenía 80¢. Gastó 25¢ en unos palitos planos y 10¢ en un poco de estambre. Luego, hizo un títere y se lo vendió a María.

Usa el problema para describir en qué se diferencia un productor de un consumidor. **Muestra** tu respuesta por escrito. Explica por qué tu respuesta es correcta.

_____

_____

_____

¿Cuál fue el costo total de los materiales necesarios para hacer el títere? _____

8. ⭐ **Preparación para la prueba de TEXAS** La Srta. Rue tenía $35. Gastó $5 en los materiales que necesitaba para hacer una bufanda. Vendió la bufanda por $8. ¿Cuánto dinero tiene ahora?

○ $43

○ $48

○ $38

ACTIVIDAD PARA LA CASA • Pida a su niño que explique lo que aprendió en esta lección.

Tarea y práctica

Nombre _____

20.6 Productores, consumidores y costos

Nombra al productor y al consumidor. Menciona lo que cada uno tenía al comienzo y lo que tiene al final.

1. Janice tenía $38. Gastó $10 en algunas cuentas y $3 en un pedazo de cuerda. Luego, hizo un collar.
Paula tenía $53. Compró el collar por $25.

productor: _____	consumidor: _____
Al comienzo tenía	Al comienzo tenía
_____.	_____.
Al final tiene	Al final tiene
_____.	_____.

Resolución de problemas En el mundo

Usa la información para resolver el problema.

Carter tenía $62. Gastó $28 en madera y $4 en clavos. Luego, hizo 2 comederos de aves.

2. **Múltiples pasos** ¿Cuál es la cantidad total de dinero por la que Carter debería vender los 2 comederos de aves para tener $70 al final? _____

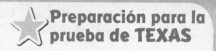
Elige la respuesta correcta.

3. Cindy tenía $45. Gastó $15 en los materiales que necesitaba para hacer un brazalete. Vendió el brazalete por $17. ¿Cuánto dinero tiene ahora?

   ○ $47

   ○ $77

   ○ $52

4. Raúl hizo una cometa. Le vendió la cometa a Tony por $8. ¿Quién es el consumidor?

   ○ Raúl

   ○ Tony

   ○ Raúl y Tony

5. **Múltiples pasos** Maura tenía 90¢. Gastó 15¢ en una cuenta y 10¢ en un pedazo de cuerda. Luego, hizo un anillo y se lo vendió a una compañera de clase. Su compañera le pagó con las monedas que se muestran abajo. ¿Cuánto dinero tiene Maura ahora?

   ○ 65¢

   ○ 35¢

   ○ $1.00

Nombre _____

 ✓ **Evaluación de la Unidad 6**

Conceptos y destrezas

Mira las monedas para contestar la pregunta. ➡ TEKS 2.11.B

1. Grady recibió una moneda de 10¢ cada semana durante
7 semanas. Ahorró 5 monedas de 10¢ y gastó 2 monedas
de 10¢. ¿Cuánto dinero tiene ahora?

_____

Nombra al productor y al consumidor.
Menciona lo que cada uno tenía al comienzo y lo que tiene al final. ➡ TEKS 2.11.F

2. La Sra. Rogers tenía $40. Gastó $6 en algunas cuentas y $1
en un pedazo de cuerda. Luego, hizo un brazalete.
La Sra. Cole tenía $43 y compró el brazalete por $12.

productor: _____

Al comienzo tenía

_____.

Al final tiene

_____.

consumidor: _____

Al comienzo tenía

_____.

Al final tiene

_____.

3. ¿Cuánto dinero gastó la Sra. Rogers en los materiales
necesarios para hacer un brazalete? ➡ TEKS 2.11.F

_____

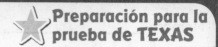

4. Aaron tenía $22 en el banco. Hizo un depósito de $5. ¿Cuánto dinero tiene en el banco ahora? 🔻 TEKS 2.11.C

  ○ $17

  ○ $27

  ○ $23

5. Cathy tenía $30 en el banco. Hizo un retiro de $4. ¿Cuánto dinero tiene en el banco ahora? 🔻 TEKS 2.11.C

  ○ $43

  ○ $26

  ○ $34

6. Riley recibió 2 monedas de 10¢ y 1 moneda de 5¢ cada semana durante 3 semanas. Gastó 20¢ y ahorró el resto. ¿Cuánto dinero tiene ahora? 🔻 TEKS 2.11.B

  ○ 55¢

  ○ 40¢

  ○ 65¢

7. Shandra tiene 67¢. Quiere comprar un rompecabezas que cuesta 95¢. ¿Cuánto dinero tiene que pedir prestado? 🔻 TEKS 2.11.D

  ○ 32¢

  ○ 28¢

  ○ 162¢

8. Tasha le prestó $6 a Joe. Joe planea pagarle $2 por semana. ¿Cuánto tiempo le tomará a Joe devolver los $6? ⬇ TEKS 2.11.E

○ 2 semanas
○ 8 semanas
○ 3 semanas

9. Cody quiere comprar un regalo que cuesta 8 dólares para su hermano. Si ahorra 4 dólares a la semana, ¿cuánto tiempo le tomará ahorrar el dinero suficiente para comprar el regalo? ⬇ TEKS 2.11.A

○ 2 semanas
○ 6 semanas
○ 4 semanas

10. El Sr. Baxter tenía $50 en el banco. Hizo 4 depósitos de $5. ¿Cuánto dinero tiene en el banco ahora? ⬇ TEKS 2.11.C

○ $59
○ $70
○ $41

11. Rex le prestó un dólar a George. George planea pagarle 25¢ a la semana. ¿Cuánto tiempo le tomará a George devolver el dólar? ⬇ TEKS 2.11.E

○ 1 semana
○ 4 semanas
○ 2 semanas

12. Judy preguntó si pedir un préstamo es lo mismo que ahorrar dinero. ¿Qué le dirías? ⬇ TEKS 2.11.B, 2.11.D

_____

_____

_____

_____

Usa la información para completar.

13. Por escrito y con un dibujo, muestra lo que Becky hizo con su dinero cada semana. Recuerda: Becky debe tener $20 al final. ➡ TEKS 2.11.A, 2.11.B

- Al comienzo de la primera semana, Becky tenía $12.
- Ganó $4 cada semana.
- Gastó un poco de dinero cada semana.
- Después de las 4 semanas, tenía $20.

¿Cuánto dinero ahorró Becky en las 4 semanas? _____

Explica por qué piensas que tu manera de resolver el problema funcionó.

_____

_____

_____

_____

a. m. A.M.

Las horas después de la medianoche y antes del mediodía se escriben con **a. m.**

11:00 a. m. es por la mañana.

ahorrar save

Cuando **ahorras** dinero, lo guardas y no lo gastas.

arista edge

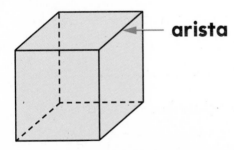

arista

Una **arista** se forma donde dos caras de una figura de tres dimensiones se unen.

cara face

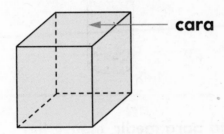

cara

Cada una de las superficies planas de este cubo es una **cara**.

centena hundred

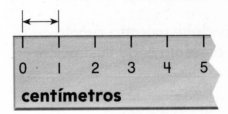

Hay 10 decenas en 1 **centena**.

centímetro centimeter

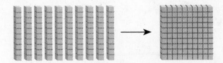

0 · 1 2 3 4 5

centímetros

cilindro cylinder

cinta para medir measuring tape

clave key

Número de mascotas			
Scott	◆	◆	◆
Andre	◆		
Maddie	◆	◆	

Clave: Cada ◆ representa 1 mascota.

La **clave** muestra cuánto representa cada ilustración.

comparar compare

Usa estos símbolos para **comparar**: >, < o =.

241 > 234

123 < 128

247 = 247

conclusión conclusion

Cuando formas una opinión al mirar un conjunto de datos, sacas una **conclusión**.

cono cone

consumidor consumer

Una persona que compra algo se llama **consumidor**.

cuadrilátero quadrilateral

Una figura de dos dimensiones que tiene 4 lados es un **cuadrilátero**.

cuarto de fourth of

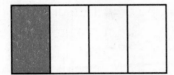

Un **cuarto de** la figura es verde.

cuartos fourths

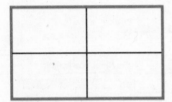

Esta figura tiene 4 partes iguales. Esas partes iguales se llaman **cuartos.**

cubo cube

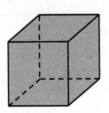

depósito deposit

Una persona hace un **depósito** cuando pone parte de su dinero en el banco.

diferencia difference

$$9 - 2 = 7$$

↑

diferencia

dígito digit

0, 1, 2, 3, 4, 5, 6, 7, 8 y 9 son **dígitos.**

dividir divide

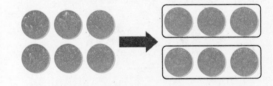

Puedes **dividir** 6 fichas en 2 grupos iguales.

dólar dollar

Un **dólar** tiene un valor de 100 centavos.

entero whole

Ocho octavos forman
1 **entero**.

es igual a (=) is equal to

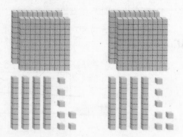

247 **es igual a** 247.
247 = 247

es mayor que (>) is greater than

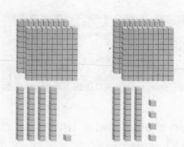

241 **es mayor que** 234.
241 > 234

es menor que (<) is less than

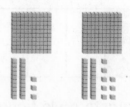

123 **es menor que** 128.
123 < 128

escala scale

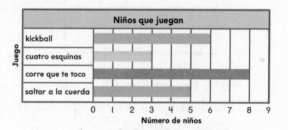

La **escala** muestra qué números representan las longitudes de las barras.

esfera sphere

estimar estimate

Cuando **estimas**, describes aproximadamente cuántos son o cuánto hay.

gastar spend

Cuando **gastas** dinero, se lo das a alguien a cambio de otra cosa.

---

gráfica de barras bar graph

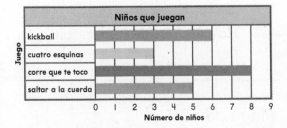

---

hacer un préstamo lend

Una persona **hace un préstamo** de dinero a otra cuando le da dinero que debe ser devuelto.

---

hexágono hexagon

Una figura de dos dimensiones que tiene 6 lados es un **hexágono.**

impar odd

1, 3, 5, 7, 9, 11 . . .

números impares

---

lado side

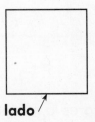

Esta figura tiene 4 **lados.**

---

longitud length

La **longitud** es la medida del largo de un objeto o la medida de una distancia.

---

medianoche midnight

A las 12:00 de la noche es **medianoche.**

mediodía noon

A las 12:00 del día es **mediodía**.

minuto minute

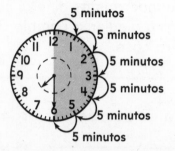

Hay 30 **minutos** en media hora.

metro meter

1 **metro** es la misma longitud que 100 centímetros.

mitad de half of

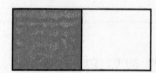

Una **mitad de** la figura es verde.

millar thousand

Hay 10 centenas en 1 **millar**.

mitades halves

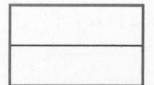

Esta figura tiene 2 partes iguales. Esas partes iguales se llaman **mitades**.

moneda de 1¢ penny

Esta es una **moneda de 1¢**.

---

moneda de 10¢ dime

Esta es una **moneda de 10¢**.

---

moneda de 25¢ quarter

Esta es una **moneda de 25¢**.

---

moneda de 5¢ nickel

Esta es una **moneda de 5¢**.

multiplicar multiply

6 fichas en total

Cuando **multiplicas**, combinas grupos iguales para hallar cuántos hay en total.

---

octágono octagon

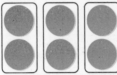

Una figura de dos dimensiones que tiene 8 lados es un **octágono**.

---

octavo de eighth of

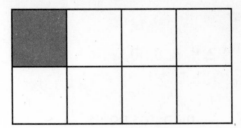

Un **octavo de** la figura es azul.

octavos eighths

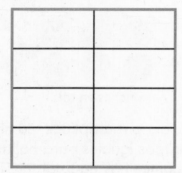

Esta figura tiene 8 partes iguales. Esas partes se llaman **octavos**.

p. m. P.M.

Las horas después del mediodía y antes de la medianoche se escriben con **p. m.**

11:00 p. m. es por la noche.

par even

2, 4, 6, 8, 10 . . .

números pares

pedir un préstamo borrow

Cuando **pides un préstamo** de dinero a alguien, esa persona te da dinero y debes devolvérselo después.

pentágono pentagon

Una figura de dos dimensiones que tiene 5 lados es un **pentágono**.

pictografía pictograph

Número de partidos de fútbol						
marzo	⚽	⚽	⚽	⚽		
abril	⚽	⚽	⚽			
mayo	⚽	⚽	⚽	⚽	⚽	
junio	⚽	⚽	⚽	⚽	⚽	⚽

Clave: Cada ⚽ representa 1 partido.

pie foot

1 **pie** es la misma longitud que 12 pulgadas.

polígono polygon

Un **polígono** es una figura de dos dimensiones cerrada que solo tiene lados rectos.

predecir predict

Cuando **predices** lo que va a suceder, haces una conjetura razonable.

---

prisma rectangular rectangular prism

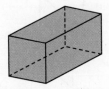

---

prisma triangular triangular prism

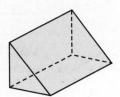

---

productor producer

Una persona que hace algo se llama **productor.**

---

pulgada inch

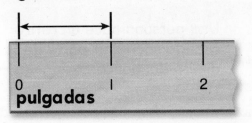

---

punto decimal decimal point

$1.00

↑

punto decimal

---

reagrupar regroup

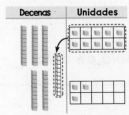

Puedes cambiar 10 unidades por 1 decena para **reagrupar.**

---

regla de 1 yarda yardstick

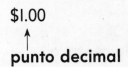

Una **regla de 1 yarda** es una herramienta de medición que muestra 3 pies.

retiro withdrawal

Una persona hace un **retiro** cuando saca una parte de su dinero del banco.

---

símbolo de centavo cent sign

53¢

↑
símbolo de centavo

---

símbolo de dólar dollar sign

$1.00

↑
símbolo de dólar

---

suma sum

9 + 6 = 15

↑
suma

---

sumando addend

5 + 8 = 13

↑ ↑
sumandos

unidad cuadrada square unit

Las **unidades cuadradas** se usan para medir el área interna de una figura de dos dimensiones.

---

vértice vertex

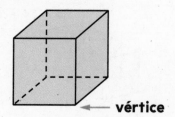

← **vértice**

Un **vértice** es una esquina de una figura de tres dimensiones.

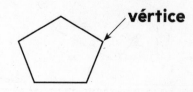

vértice

Esta figura tiene 5 **vértices**.